Vertrag in der Tasche

Dieter Herde and David Royce

Hodder & Stoughton

LONDON SYDNEY AUCKLAND TORONTO

Acknowledgments

We would like to thank Lea & Perrins International Ltd. of Worcester for their invaluable co-operation and assistance in the production of this course. We wish to emphasize that, whilst the material is intended to be as realistic as possible, we do not claim to represent the specific trading practices and policies of Lea & Perrins.

We are grateful to the following for their help and permission to reproduce copyright material:

Hotel Hamburg International, Hamburg for their advertisement, Arabella Hotels, Munich for their advertisement, Autohansa Autovermietung, Frankfurt for an extract from their brochure, Alsterkrug Hotel, Hamburg for their advertisement, manager magazin for one advertisement, Diners Club Deutschland GmbH for their advertisement, Ratioflug GmbH, Frankfurt for their advertisement, Schenker Messeservice, Frankfurt for their advertisement.

We are also grateful to Viceroy Conservatories for the material they kindly supplied for the Assignments section.

We would also like to express our thanks both to students at The Buckinghamshire College for helping us to assess the teaching value of the material and to colleagues for their unfailing assistance and support throughout this project.

We extend a special thanks to the authors of *Marché Conclu* – the original course which provided the inspiration for the quartet of courses from Buckinghamshire College, offering French (*Marché Conclu*), German (*Vertrag in der Tasche*), Spanish (*Trato Hecho*) and Italian (*Missione Italia*).

British Library Cataloguing in Publication Data
Herde, Dieter
Vertrag in der Tasche.
1. German language. Business German
I. Title II. Royce, David
808'.066651031

ISBN 0 340 50513 3

First published 1989
Second Impression 1990

Typeset by Wearside Tradespools, Fulwell, Sunderland.
Printed in Great Britain for the educational publishing division of Hodder and Stoughton Ltd, Mill Road, Dunton Green, Sevenoaks, Kent by Thomson Litho, East Kilbride.

Contents

Introduction

In recent years foreign language learning has undergone significant changes and taken on a higher profile within the framework of the European Community and the forthcoming Single European Market.

Foreign language skills are seen as a valuable adjunct to other fields of knowledge, especially trade and commerce, such that combined business and language courses in further and higher education establishments are increasingly vital to modern-day needs if Britain is to compete successfully in international markets. Material for this new orientation in language learning is limited, so this course is intended as a contribution towards these resources. It is aimed to serve vocationally-oriented German courses, such as those for HND and degree students of business and management, export marketing, travel and tourism and office administration – courses which build on basic general language skills and incorporate languages as an integral component.

Our guiding principle has been to focus on practical language learning as an ancillary tool to international business in the belief that any attempt to use the language of the foreign business partner will be immediately appreciated and can provide the 'competitive edge'. As our title suggests, it could mean the difference between winning or losing the contract.

We have aimed to create a comprehensive range of authentic business situations, concentrating primarily on oral/aural skills. Each unit comprises a dialogue with practical questions and grammatical exercises, role-plays and student tasks. There are also sections for business correspondence and assignments. The cassette should further assist students towards attaining a degree of oral/aural fluency. The course is also designed for business people to use for self-teaching and can be used as well for distance learning.

Synopsis

Mr Richard Croft is the marketing and sales director/Europe for Lea & Perrins International Ltd. of Worcester, manufacturers of the original and genuine Worcester Sauce and of other piquant sauces and condiments.

Following the successful introduction of three new sauces in the U.K. and on the evidence of preliminary desk research, the company decides to launch this new range onto the German market.

Mr Croft arranges, therefore, to visit Herr Manfred Kiefer of Agentur Klasen in Hamburg, the company's sole appointed agent in Germany, in connection with the launching of the new products.

The decision is made to use Hamburg as a test market for a 6-month trial period. At the end of this time, discussions are held with Frau Claudia Kreiffenberg of the 'Nora' market research agency to evaluate the results.

These having proved positive for one of the three sauces, it is decided to go ahead and market it. Herr Kiefer is pleased to accept the agency for this new product and the deal is duly clinched with Mr Croft.

UNIT 1 Planung einer Geschäftsreise

Mrs Dean —(wählt eine Telefonnummer).

Frau Winter—Agentur Kiefer, guten Morgen.

Mrs Dean —Guten Morgen. Mein Name ist Susan Dean von 'Lea and Perrins' in England. Ich bin die Sekretärin von Herrn Croft. Sie haben hoffentlich unseren Brief vom dritten März bekommen. Es handelt sich um den geplanten Besuch von Herrn Croft bei Ihnen. Könnte ich mit Ihnen die Einzelheiten besprechen?

Frau Winter—Ja, natürlich. Wir haben den Brief gestern erhalten. Möchten Sie einen Termin mit Herrn Kiefer vereinbaren?

Mrs Dean —Ja, bitte. Könnte Herr Croft schon nächste Woche zu Ihnen kommen? Das, glaube ich, paßt ihm am besten.

Frau Winter—Oh, das ist leider nicht möglich. Herr Kiefer wird dann geschäftlich unterwegs sein. Er besucht die internationale Lebensmittelmesse in Paris. Ginge es eventuell übernächste Woche? Ich sehe gerade, daß er da die ganze Woche im Hause ist.

Mrs Dean —Das wäre also die vorletzte Woche dieses Monats. Ja, ich glaube, das wird wohl gehen. Wäre Ihnen jeder Tag recht?

Frau Winter—Am besten wäre die zweite Wochenhälfte; sagen wir Donnerstag oder Freitag. Paßt Ihnen das?

Mrs Dean —Ja, gut. Machen wir also den Termin für den Donnerstag fest. Geht es um zehn Uhr?

Frau Winter—Einverstanden. Also übernächsten Donnerstag um zehn Uhr.

Mrs Dean —Gut. Wir bestätigen das morgen früh per Telex. Im Moment ist Herr Croft nicht im Hause, aber ich kann es ihm später mitteilen.

Frau Winter—Dann ist ja alles in Ordnung. Wir freuen uns auf seinen Besuch.

Mrs Dean —Auf Wiederhören, Frau Winter.

Frau Winter—Auf Wiederhören, Frau Dean.

*Vokabular**

die Geschäftsreise (-n) *business trip*
bekommen *to receive, get*
sich handeln um (+Acc.) *to concern, be about*
die Einzelheit (-en) *detail*
erhalten *to receive, get*
einen Termin vereinbaren *to make an appointment*
passen (+Dat.) *to suit*
leider *unfortunately*
geschäftlich unterwegs sein *to be away on business*
die Messe (-n) *trade fair*

eventuell *perhaps, possibly*
im Hause *in the building, here*
vorletzt *penultimate*
festmachen *to fix*
einverstanden *fine, o.k., agreed*
bestätigen *to confirm*
mitteilen *to tell, let someone know*
sich freuen auf (+Acc.) *to look forward to*

Redewendungen
das paßt ihm am besten *that suits him best*
das ist leider nicht möglich *I'm afraid that's not possible*
ginge es eventuell . . . ? *would it perhaps be possible . . . ?*
ich sehe gerade *I have just noticed*
das ist mir recht *that suits me, that's alright with me*
das wird wohl gehen *that will definitely be alright*
am besten wäre die zweite Wochenhälfte *the latter part/second half of the week would be best*
auf Wiederhören *good bye (on the 'phone)*

* Vocabulary is given in order of usage and is to be understood in the particular context of the dialogue. The plural form of nouns is given in brackets. The symbol (–) indicates no change for the plural.

***1:* Bitte beantworten Sie folgende Fragen:**

1 Wer ist Susan Dean?

2 Um was geht es in dem Telefongespräch?

3 Was plant Herr Croft?

4 Warum ist der vorgeschlagene Termin ungünstig?

5 Wann kann Herr Croft die Firma Kiefer besuchen?

6 Für wann wird der Termin festgelegt?

7 Wie wird der Termin von englischer Seite bestätigt?

8 Warum kommt die Bestätigung erst später?

***2:* Wie könnte man folgendes auf Deutsch sagen?**

1 Have you received our letter?

2 It's about the appointment next week.

3 I'd like to make an appointment.

4 Could I come next Monday?

5 Yes, that's best for me.

6 Any day would suit me.

7 The early part of the week would be best.

8 I'll confirm that as soon as possible.

9 Can you please let him know?

10 I'm looking forward to your visit.

Übungen

A Practise 'haben' + past participle

Beispiel
den Flug buchen
—Haben Sie den Flug gebucht? – Ja, ich habe den Flug gebucht.

—eine gute Reise haben

—alles sehen

—den Vertrag bekommen

—das Hotel finden

—die neue Fabrik besuchen

—den Termin vereinbaren

—den Bericht lesen

—die Reservierung bestätigen

B Complete appropriately

Beispiel
Kommt er schon nächste Woche? Nein, er kommt erst übernächste Woche.

—Kommen Sie nächsten Montag?
– Nein, wir kommen erst . . .

—Ist er diese Woche hier im Hause?
– Nein, er war schon . . .

—Hat die Messe letzte Woche stattgefunden?
– Nein, die Messe hatte schon . . .

—Machen Sie den Termin schon für diese Woche fest?
– Nein, wir machen den Termin erst . . .

—Können Sie es ihm diese Woche mitteilen?
– Nein, erst . . .

C Practise these constructions

Beispiel
Paßt Ihnen das? – Ja, das paßt mir.

—Paßt es ihr übernächste Woche?

—Wann paßt es Ihnen? – (morgen nachmittag)

—Paßt es ihm wirklich nicht? – (Nein, . . .)

—Paßt es Ihnen vielleicht im Frühjahr?

—Paßt es ihr nicht nächsten Dienstag? – (Nein, . . .)

Beispiel
Ist Ihnen das recht? – Ja, das ist mir recht.

—Ist ihr der Treffpunkt recht?

—War ihm der Einkaufspreis recht?

—Ist Ihnen der Mietwagen recht?

—Wäre Ihnen der erste Montag im Oktober recht?

—Wäre ihm ein Flug am Abend recht?

Rollenspiel

An invitation has arrived to make contact with a German business agent, Herr Driesch, at the forthcoming Hanover Trade Fair. You ring his personal assistant, Frau Greiner, to make the necessary arrangements.

Frau Greiner—Hier Agentur Driesch. Andrea Greiner am Apparat.

Mr Andrews —*(Introduce yourself and say you have received Herr Driesch's letter. It concerns the meeting at the Hanover Trade Fair.)*

Frau Greiner—Ah ja, Herr Andrews. Wie kann ich Ihnen behilflich sein?

Mr Andrews —*(Say you'd like to make an appointment with Herr Driesch. Explain you intend visiting the trade fair on Tuesday next week and ask if that day would suit Herr Driesch.)*

Frau Greiner—Ja, ich glaube, das wird wohl gehen. Könnten Sie Herrn Driesch eventuell am Vormittag treffen?

Mr Andrews —*(Say that's fine by you. Ask if 9.30 would be alright.)*

Frau Greiner—Ja, in Ordnung. Sie werden Herrn Driesch am Stand Nr. 12 finden.

Mr Andrews —*(Say that you look forward to the meeting. Say good-bye.)*

Frau Greiner—Auf Wiederhören, Herr Andrews.

Aufgaben

Aufgabe 1

Compile a telex in German to confirm the meeting arranged in Dialog 1, using the following format:

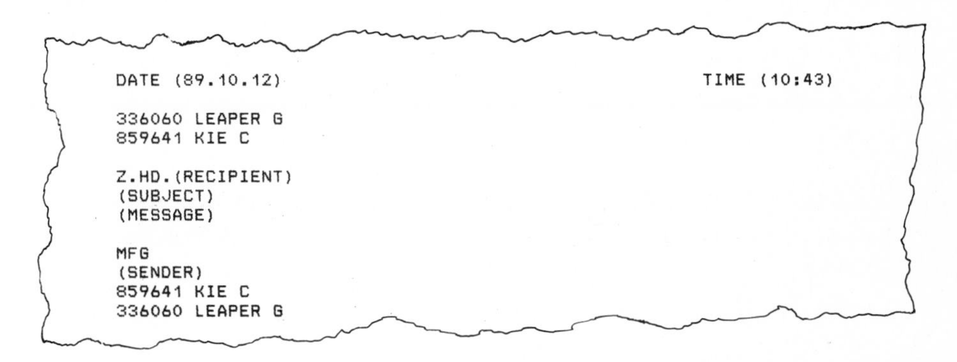
DATE (89.10.12) TIME (10:43)

336060 LEAPER G
859641 KIE C

Z.HD.(RECIPIENT)
(SUBJECT)
(MESSAGE)

MFG
(SENDER)
859641 KIE C
336060 LEAPER G

Aufgabe 2

Phone the Hotel Hamburg International to make the necessary reservations for your forthcoming trip to Germany.

Aufgabe 3

Translate the following telex:

```
345050 LEAPER G
85873472 BRE D
6707 BREUER, HAMBURG 96-10-21     14:05

FA/MO

Z.HD. FRAU PAULA BARKER

BETR: ETIKETTEN BAKED BEANS
----- UNSER TELEX NR: 6377 VOM 11.10.19..

DA WIR BIS HEUTE NOCH KEINE BESTAETIGUNG VON IHNEN ERHALTEN HABEN,
BITTEN WIR UM SOFORTIGE NACHRICHT, WANN WIR MIT KOPIEN DER
GEAENDERTEN ANDRUCKE RECHNEN KOENNEN.

MFG
BREUER
345050 LEAPER G
84873472 BRE D
```

Aufgabe 4

With a partner, practise requesting travel information and noting down times given on the 'Reiseverbindungen' notepad. Ensure you ask for the following details:

—the first departure from Dortmund to Cologne (Trade Fair)

—the time of the Eurocity from Hanover to Düsseldorf airport

—the times of Intercity trains between Hamburg and Cologne

DB

Reiseverbindungen

Reisetag/Wochentag					Auskunft ohne Gewähr
Station	Uhr	Uhr	Uhr	Uhr	Bemerkungen
ab dep					
an arr					
ab dep					
an arr					
ab dep					
an arr					
ab dep					
an arr					
ab dep					
an arr					

600 01 (neu) Merkzettel für Fahrplanauskünfte A6L Bk 100/Mü 6.82 250 000 1.2.3.4.5.6.7.8.9.10./82.83.84.85.86.

—a train from Dortmund to Essen after 9 am.

—a train from Herford to Duisburg

Erläuterungen und Zeichenerklärungen

- EC EuroCity, Europäischer Qualitätszug
- IC Intercity-Zug, Nationaler Qualitätszug
  EC/IC -Zuschlag erforderlich.
- D Schnellzug
- ✗ Zugrestaurant
- Ⓠ Quick-Pick-Zugrestaurant
- 🍷 Speisen und Getränke im Zug
- ◆ Platzreservierung für Einzelreisende besonders empfohlen
- o Ankunft
- ⋮ zuschlagpflichtig
- 🔒 mit Gepäck- und Fahrradbeförderung
- Ⓕ montags – samstags; nicht 1.5.89

Eine Gewähr für die Richtigkeit des Inhalts wird nicht übernommen.

Hamburg / Hannover — Ruhr / Wupper — Köln

Zug			IC 742	IC 129 ✗	IC 111 ✗	IC 113 ✗	IC 621 ✗	EC 7 ◆ ✗	IC 813 ◆ ✗	IC 648 🍷	IC 515 ◆ ✗
Hamburg Hbf	100					5 50			6 50		
Hamburg-Harburg						6 01			7 01		
Buchholz (Nordheide)											
Rotenburg (Wümme)											
Bremen Hbf		o				6 45			7 45		
Bremen Hbf	100					6 47			7 47		
Bassum											
Diepholz											
Osnabrück Hbf		o				7 37			8 37		
Osnabrück Hbf						7 39			8 39		
Münster (Westf) Hbf		o				8 01			9 01		
Münster (Westf) Hbf	320				7 11	8 03			9 03		
Recklinghausen Hbf											
Hannover Hbf	200			Ⓕ 5 53				7 07			Ⓕ 8 09
Minden (Westf)				6 21				7 35			
Herford		o		6 40							
Herford				6 41							
Bielefeld Hbf		o		6 48				7 56			8 56
Bielefeld Hbf				6 50				7 58			8 58
Gütersloh Hbf				7 00							
Hamm (Westf)	300			7 21				8 26			9 26
Dortmund Hbf		o		Ⓕ 7 37	7 40	8 32		8 40	9 32		Ⓕ 9 40
Dortmund Hbf			6 45	7 45	7 42	8 34	8 45	8 42	9 34	9 45	9 42
Unna	400	o									
Schwerte (Ruhr)		o									
Hagen Hbf		o	7 04	8 04			9 04			10 04	
Hagen Hbf			7 06	8 06			9 06			10 06	
Wuppertal-Oberbarmen											
Wuppertal-Elberfeld			7 23	8 23			9 23			10 23	
Solingen-Ohligs			7 33				9 34			10 33	
Herne	300										
Wanne-Eickel Hbf											
Gelsenkirchen Hbf											
Essen-Altenessen											
Oberhausen Hbf											
Bochum Hbf						8 44			9 44		
Essen Hbf		o			8 01	8 55		9 01	9 55		10 01
Essen Hbf					8 03	8 57		9 03	9 57		10 03
Mülheim (Ruhr) Hbf											
Duisburg Hbf		o			8 14	9 08		9 14	10 08		10 14
Duisburg Hbf					8 16	9 10		9 16	10 10		10 21
Düsseldorf Hbf ✈		o			8 28	9 23		9 28	10 23		10 34
Düsseldorf Hbf					8 30	9 25		9 30	10 25		10 36
Köln-Deutz KölnMesse		o	7 49	8 49	8 51	9 45	9 48	9 51	10 45	10 48	10 57
Köln Hbf	300.400	o	7 51	8 51	8 54	9 48	9 51	9 54	10 48	10 51	11 00
			WUPPERBLITZ	KARWENDEL	WÖRTHERSEE	DIAMANT	BACCHUS	LÖTSCHBERG nach Brig (1/E 8)	SENATOR montags bis samstags; nicht 1.5.	WUPPER-KURIER	HEINRICH DER LÖWE

UNIT 2 Ankunft auf dem Hamburger Flughafen

Mr Croft —Entschuldigen Sie bitte . . .

Angestellter—Ja bitte, kann ich Ihnen helfen?

Mr Croft —Ich habe meine Aktentasche im Flugzeug liegenlassen. Was kann ich da jetzt machen?

Angestellter—Von wo sind Sie denn gekommen?

Mr Croft —Ich komme aus London.

Angestellter—Könnten Sie mir bitte Ihre Flugnummer sagen?

Mr Croft —Ja, einen Moment. Das ist Flug BA 246. Ich hatte gerade meinen Koffer abgeholt, als ich plötzlich feststellte, daß meine Aktentasche gar nicht mehr da war. Und ich brauche sie wirklich dringend. Sie enthält nämlich wichtige Unterlagen und Broschüren . . .

Angestellter—Wenn ich Sie unterbrechen darf . . . Könnten Sie mir Ihre Aktentasche beschreiben?

Mr Croft —Ja, es handelt sich um eine braune Ledertasche und an der Seite oben sind meine Initialen eingraviert: R.C.

Angestellter—Ist Ihre Aktentasche verschlossen?

Mr Croft —Ja, natürlich.

Angestellter—Und wie ist Ihr Name, bitte?

Mr Croft —Richard Croft. Croft mit 'C' und Richard wie im Deutschen.

Angestellter—Ja, das habe ich notiert. Ich rufe jetzt das Fundbüro an, und dann werden wir weiter sehen. Wenn Sie bitte hier in der Nähe bleiben könnten, dann kann ich Ihnen gleich Bescheid sagen.

Mr Croft —Glauben Sie denn, daß da noch 'was zu machen ist?

Angestellter—Natürlich. Fast alle Gegenstände, die in einem Flugzeug zurückgelassen werden, finden wieder zu ihrem Besitzer zurück. Da kann man ganz zuversichtlich sein. Also bis gleich.

10 Minuten später

Angestellter—Herr Croft. Gehen Sie bitte zum Fundbüro auf der zweiten Etage. Man hat Ihre Aktentasche gefunden. Sie können sie jetzt dort abholen.

Mr Croft —Wunderbar. Vielen Dank für Ihre Hilfe. Auf Wiedersehen.

Vokabular

die Ankunft *arrival*
die Aktentasche (-n) *briefcase*

liegenlassen *to leave (behind) – accidentally*
abholen *to collect*
feststellen *to realize*
dringend *urgently*
enthalten *to contain*
nämlich *as it happens, you see (explaining)*
unterbrechen *to interrupt*
verschlossen *locked*
das Fundbüro (-s) *lost property office*
anrufen *to telephone, ring (up)*
in der Nähe *nearby, close at hand*
Bescheid sagen (+Dat.) *to tell, let someone know*
der Gegenstand (¨-e) *object, thing*
zurücklassen *to leave behind*
zurückfinden zu (+Dat.) *to find (its) way back to*
der Besitzer (–) *owner*
zuversichtlich *confident, certain*
die Etage (-n) *floor (storey)*

Redewendungen
entschuldigen Sie *excuse me*
was kann ich da machen? *what can I do about it?*
und dann werden wir weiter sehen *and then we'll take it from there*
hier in der Nähe *round here (close by)*
daß da noch 'was zu machen ist . . . *that anything more can be done*
also bis gleich *(I) won't keep you a moment/(I'll be) back in a moment*

1: **Bitte beantworten Sie folgende Fragen:**

1 Was fällt Herrn Croft plötzlich auf?

2 Wo befindet sich der Informationsschalter?

3 Von wo ist Herr Croft gerade gekommen?

4 Warum braucht er dringend die Aktentasche?

5 Wie sieht die Aktentasche aus?

2: **Wie könnte man folgendes auf Deutsch sagen?**

1 Can you please help me?

2 Is he coming from Munich?

3 Could you please tell me your telephone number?

4 I can tell you later.

5 Many thanks for your co-operation.

Übungen

A Practise constructions using 'bevor':

Beispiel
Er geht schnell ins Büro. Dann fliegt er nach Hamburg.
– Bevor er nach Hamburg fliegt, geht er schnell ins Büro.

—Wir servieren Ihnen ein warmes Essen. Dann landen wir in Stuttgart.

—Er geht durch die Zollkontrolle. Dann spricht er mit einem Flughafenangestellten.

—Er füllt ein Formular aus. Dann beschreibt er die Aktentasche.

—Ich rufe die Tochtergesellschaft in der Bundesrepublik an. Dann fahre ich ab.

—Wir trinken eine Tasse Kaffee. Dann machen wir uns an die Arbeit.

B Make sentences with 'nämlich sich handeln um (+Acc.)':

Beispiel
die Hotelreservierung
– Es handelt sich nämlich um die Hotelreservierung.

—die neuen Broschüren

—mein gestriger Telefonanruf

—ein bekanntes Produkt

—unser Schreiben vom ersten des Monats

—der neueste Bericht

C Make sentences using 'Wenn . . ., dann . . .':

Beispiel
Sie fliegen nach Frankfurt – am besten mit Lufthansa
– Wenn Sie nach Frankfurt fliegen, dann fliegen Sie am besten mit Lufthansa.

—ich fahre mit dem Zug – lieber erster Klasse

—wir übernachten in Köln – am liebsten im Hotel Königshof

—er ist geschäftlich unterwegs – er fährt meistens mit dem Auto

—ich gehe essen – vor allem im Ratskeller-Restaurant

—Sie bleiben hier – ich kann für Sie anrufen

Rollenspiel

Ms Paxton is checking in at the hotel, only to discover that she has left her briefcase in the taxi.

Empfangschef—Und hier ist Ihr Schlüssel. Zimmer Nr. 18 im ersten Stock.

Ms Paxton —*(Thank him. Say you've just realized you've left your briefcase in the taxi. Ask if anything can be done.)*

Empfangschef—Ich rufe die Taxizentrale an – und vielleicht auch das örtliche Fundbüro. Von wo sind Sie mit dem Taxi gekommen?

Ms Paxton —*(Say you have come straight from the airport. Explain you need the briefcase urgently because it contains all your conference papers.)*

Empfangschef—Und wie sieht die Aktentasche aus?

Ms Paxton —*(Say it's a large black case with your initials on it in gold letters.)*

Empfangschef—Warten Sie bitte einen Augenblick.

Einige Minuten später

Empfangschef—Die Tasche hat sich gefunden. Der Taxifahrer hat sie zum Fundbüro gebracht. Sie können sie morgen ab 8 Uhr abholen.

Ms Paxton —*(Thank him very much for his help. Say you are most grateful.)*

Empfangschef—Nichts zu danken. Gern geschehen.

Aufgaben

Aufgabe 1

Due to a delayed flight, you hurriedly take a late lunch at the airport restaurant. However, once at the hotel, you realise you must have left a folder behind. Ring the airport restaurant to see if it has been found – if so, you will collect it early this evening, about 7 o'clock. You will need to give details: orange and brown folder marked L&P containing various documents. You remember you were sitting at a small table for two near the restaurant entrance. You were there between 2 and 3 pm.

Aufgabe 2
At the 'Autohansa' airport desk you wish to hire a car for the duration of your stay, using the leaflet as a guide. Check on insurance and ask if you can leave the car in Hamburg.

Firmen PKW-Tarif

Gruppe	Fahrzeugtypen	Tagespauschale (incl. aller km)
A	VW Polo Fox Opel Corsa Swing Ford Fiesta Holiday	84,21 **96,--**
B	VW Golf CL Opel Kadett LS	114,03 **130,--**
C	Audi 80 1,8 S Opel Vectra LS	164,04 **187,--**
D	BMW 316 i Opel Omega LS	173,68 **198,--**
E	Mercedes 190 E	191,23 **218,--**
F	Mercedes 230 E BMW 520 i	236,84 **270,--**
G	Station Wagon	191,23 **218,--**
H	Klein-Bus 8/9 Sitzer	265,79 **303,--**

Die fettgedruckten Preise beinhalten 14% Mehrwertsteuer.

Die Tagespauschale beinhaltet alle gefahrenen Kilometer. Pro angefangene 24 Stunden wird 1 Tag berechnet. Fünf Tagespauschalen ergeben den Wochenpreis.
Dieser Tarif gilt ab 10. September 1988. Bezahlung mit allen anerkannten Kreditkarten oder bar. Ansonsten gelten die allgemeinen Mietbedingungen. Reservierungen für die Fahrzeuge sind bis mindestens 24 Stunden vor Mietbeginn erforderlich. Sollte der von Ihnen reservierte Wagen einmal nicht verfügbar sein, stellen wir Ihnen gerne ein alternativès Fahrzeug zur Verfügung.
Einwegmietungen sind auf Anfrage möglich. Zustellungen und Abholungen kosten DM 1,14 (1,–) pro Kilometer, mindestens DM 11,40 (10,–) pro Fahrt.
Ihre Schadenselbstbeteiligung beträgt pro Schadensfall für die Gruppen A – B DM 3.000,––, für die Gruppen C, D, E, G, H DM 4.000,–– und für die Gruppe F DM 5.000,––. Der Ausschluß dieser Haftung ist gegen eine Gebühr von DM 22,––(19,30) bei den Gruppen A -B DM 28,–– (24,56) bei den Gruppen C, D, E, G, H und DM 34,–– (29,82) bei Gruppe F pro Tag erhältlich.
Tarifänderungen sind vorbehalten.

Auto-Telefon

Sportlich und bequem reisen und trotzdem nicht auf Kommunikation mit Ihren Geschäftspartnern, Ihrem Büro oder Ihrer Familie verzichten! Diesen Komfort bieten wir Ihnen mit einem Teil unserer Fahrzeuge ab Gruppe E. Diese Mietwagen haben wir mit Siemens Autotelefon / Mobiltelefon C 2 ausgestattet. Wir berechnen Ihnen lediglich die verbrauchten Telefongebühreneinheiten (DM 0,80 plus MwSt.).

Autohansa Autovermietung GmbH
Hauptverwaltung · Zentrales Reservierungsbüro
Savignystraße 71 · D-6000 Frankfurt/Main
Telefon (0 69) 75 61 00-75 oder (01 30) 50 01
Telex 4 14 101 · Fax (0 69) 74 93 49
LH / START-Reservierungssystem: CRFD ⌴ A

Aufgabe 3
The Managing Director at Lea & Perrins wants to combine a business trip to Munich with a weekend's sightseeing, accompanied by his wife. He asks you to

make flight and car hire arrangements, which you consider will be best done with Lufthansa & Avis Flydrive. Write an appropriate letter to Lufthansa. Your MD would like to leave London on Wednesday 23rd May, returning on Monday 28th. He would like an Audi 80. The booking is in the name of McLellan.

Flughafen-Anschluß-Tarif

Die ideale Verbindung zum Flug und zurück

Je weiter der Weg zum Flughafen, desto teurer das Taxi. Auch die Anreise mit dem eigenen Wagen ist oft kompliziert.

Für alle, die eine schnelle Verbindung zum Flughafen brauchen, ist dieser Tarif eine angenehme Alternative: einfach, preiswert, problemlos. Sie verlieren keine Zeit beim Parkplatzsuchen und sparen Parkgebühren oder Taxikosten. Mit einem Avis Mietwagen fahren Sie zum Flughafen und geben ihn dort wieder ab.

Auch nach dem Rückflug können Sie genauso bequem vom Flughafen nach Hause fahren und das Fahrzeug an der nächstgelegenen Avis-Station abgeben.

Gruppe	Fahrzeugtyp	4 Stunden (unbegrenzte km)
B	VW Golf	**DM 87,—** DM 76,32
C	Audi 80	**DM 107,—** DM 93,86

Mietpreise inklusive 14% Mehrwertsteuer
Mietpreise ohne Mehrwertsteuer

Der Flughafen-Anschluß-Tarif ist nicht rabattfähig.

Mietbedingungen

Übernahme oder Rückgabe des Fahrzeugs muß an einer Avis Flughafen-Station erfolgen.

Bei Anmietung nach 18.00 Uhr besteht die Möglichkeit, das Fahrzeug am Bestimmungsort bis 9.00 Uhr am nächsten Tag ohne Aufpreis zurückzugeben.

Reservierung

Den Avis Mietwagen können Sie überall dort reservieren, wo Sie Ihren Flug buchen: also in allen Reisebüros mit Lufthansa-Agentur oder direkt bei Lufthansa.

flyDRIVE®
Lufthansa & AVIS

Flydrive – damit weniger Zeit auf der Strecke bleibt.

Wer Lufthansa und Avis im Team bucht, kommt schneller zum Ziel. Das ist Flydrive.

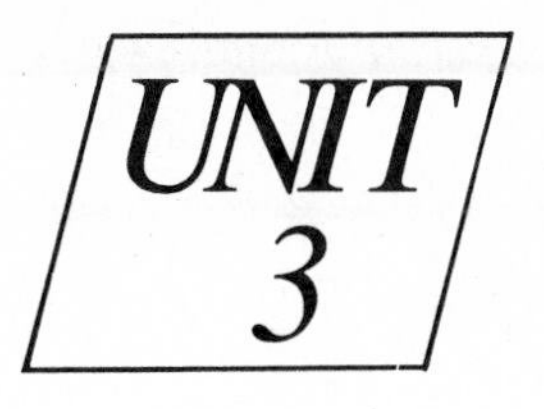

Im Hotel

Empfangschef—Guten Abend. Sie wünschen?

Mr Croft —Guten Abend. Ich heiße Croft. Meine Sekretärin hat für mich ein Zimmer reserviert – für drei Übernachtungen.

Empfangschef—Einen Augenblick, bitte. Ich muß eben einmal Ihre Reservierung heraussuchen.

Mr Croft —Selbstverständlich.

Empfangschef—Leider gibt es da ein kleines Problem, Herr Croft. Seit zwei Tagen gibt es hier in Hamburg eine große Konferenz und diese dauert nun plötzlich einen Tag länger als geplant. Alle Hotels sind so gut wie ausgebucht. Deshalb wird erst morgen ein Zimmer mit Bad für Sie frei. Für heute nacht können wir Ihnen nur ein Zimmer mit Dusche anbieten.

Mr Croft —Na ja, das ist unangenehm . . .

Empfangschef—Es tut uns wirklich sehr leid. Ich hoffe, Sie haben Verständnis dafür.

Mr Croft —Wenn's sein muß . . . Sagen Sie bitte, wann kann man frühstücken?

Empfangschef—Frühstück gibt es von 7 bis 10 Uhr und Abendessen wird noch bis halb zehn im Europa-Restaurant serviert. Sie können auch einen Imbiß im Club-Café einnehmen. Es ist durchgehend von 9 Uhr morgens bis 1 Uhr nachts geöffnet. Hier ist Ihr Schlüssel. Zimmer Nr. 342 auf der dritten Etage. Da drüben links ist der Aufzug. Ihr Gepäck wird gleich auf Ihr Zimmer gebracht.

Mr Croft —Danke sehr. Wo ist das Restaurant, bitte?

Empfangschef—Gleich hier vorne. Gehen Sie hier diesen Gang entlang.

Mr Croft —Danke schön.

Empfangschef—Einen angenehmen Abend wünsche ich Ihnen.

Mr Croft —Danke. Übrigens, könnten Sie mich bitte morgen früh um halb sieben wecken?

Empfangschef—Das geht in Ordnung, Herr Croft.

Vokabular

die Übernachtung (-en) *(hotel) night*
heraussuchen *to get out (from a file)*
selbstverständlich *(but) of course*
die Konferenz (-en) *meeting, conference*
dauern *to last*

ausgebucht *fully booked, full*
deshalb *and so, therefore*
anbieten *to offer*
unangenehm *irritating, a nuisance*
Verständnis haben für (+Acc.) *to understand (sympathize)*
der Imbiß (-sse) *snack*
einnehmen *to have, eat*
durchgehend *right through, non-stop, continuously*
der Aufzug (¨-e) *lift (elevator)*
gleich *straightaway, immediately*
der Gang (¨-e) *corridor*
angenehm *pleasant, enjoyable*

Redewendungen
Sie wünschen? *How can I help you?/ What can I do for you?*
so gut wie *all but, virtually*
es tut mir leid *I'm sorry*
wenn's sein muß *I suppose it can't be helped*
da drüben *over there*
gleich hier vorne *straight ahead just there, just over there (indicating)*
morgen früh *tomorrow morning*

1: **Bitte beantworten Sie folgende Fragen:**

1 Für wen wurde ein Zimmer reserviert?

2 Wer hat das Zimmer reserviert?

3 Welches Problem gibt es für Herrn Croft?

4 Welchen Vorschlag macht der Empfangschef?

5 Wann gibt es Frühstück im Hotel?

6 Wie heißt der Imbißraum?

7 Welches Zimmer soll Herr Croft nehmen?

8 Wo befindet sich das Restaurant?

2: **Wie könnte man folgendes auf Deutsch sagen?**

1 We've reserved you a room.

2 I'm afraid I haven't got a car here.

3 The book fair has been open since 8 o'clock.

4 I really am very sorry.

5 Of course I understand.

6 Where's the lift please?

Übungen

A **Construct these sentences in the passive form. Begin your sentences with the words underlined.**

Beispiel
Die Sekretärin reserviert das Zimmer.
– Das Zimmer wird von der Sekretärin reserviert.

—Der Portier öffnet die Hoteltür.

—Der Hotelboy trägt den Koffer auf das Zimmer.

—Der Empfangschef gibt an der Rezeption die Schlüssel aus.

—Das Zimmermädchen bringt frische Handtücher.

—Der Etagenkellner serviert das Frühstück im Zimmer.

B **Answer, using 'seit' + Dative**

Beispiel
Seit wann gibt es hier eine Kantine? (letzter Montag)
– Es gibt hier seit letztem Montag eine Kantine.

—Seit wann arbeiten Sie hier? (drei Jahre)

—Seit wann haben Sie keine Post bekommen? (vier Tage)

—Seit wann sind Sie in Hamburg? (gestern abend)

—Seit wann hat die Bank zu? (fünf Uhr)

—Seit wann wohnen Sie in London? (sechs Monate)

C **Use a more polite form for these sentences**

Beispiel
Kann er nicht sofort kommen?
– Könnte er nicht sofort kommen?

—Kann ich Ihnen helfen?

—Ihr Hotelzimmer kann ich heute noch reservieren.

—Können Sie mich morgen anrufen?

—Kann er mir bitte noch heute Bescheid geben?

—Kann man das Projekt noch ändern?

—Kann sie Sie vielleicht am Sonntag im Hotel erreichen?

D **Use a more polite form for these sentences**

Beispiel
Das ist sehr freundlich von Ihnen.
– Das wäre sehr freundlich von Ihnen.

—Sind 5000 Kisten unseres neuesten Produktes genug?

—Die Summe des Auftrags ist DM 7.920,–.

—Der Zeitpunkt für Ihre Präsentation ist Dienstag, um 10 Uhr.

—Hier die 4 Kartons Computerkabel. Das sind DM 2.112,–.

—Das Treffen ist voraussichtlich im Flughafenrestaurant.

E **Make statements based on the information given:**

Beispiel
Dresdner Bank geöffnet 08.00 bis 15.30
– Die Dresdner Bank ist von acht Uhr bis fünfzehn Uhr dreißig geöffnet.

—Europa-Café 09.00 bis 19.30

—Gaststätte 10.00 bis 22.00

—Die Post 08.00 bis 18.30

—Die Theaterkasse 10.00 bis 16.00

—Die Messe 08.30 bis 22.00

Rollenspiel

You arrive at the Hotel 'Drei Kronen' to book in at reception.

Dame am Empfang—Guten Abend. Kann ich Ihnen behilflich sein?

Mr Latimer —*(Reply positively. Say a room was booked by telephone – a single for 2 nights.)*

Dame am Empfang—Und der Name bitte?

Mr Latimer —*(Latimer. Say you'd like a room with a bath.)*

Dame am Empfang—Ja, das geht. Haben Sie Gepäck dabei?

Mr Latimer —*(Say the luggage is in the car.)*

Dame am Empfang—Gut. Es wird sofort auf Ihr Zimmer gebracht. Zimmer Nr. 425 im vierten Stock. Hier ist Ihr Schlüssel.

Mr Latimer —*(Thank her and ask when the restaurant opens.)*

Dame am Empfang—Es hat schon auf. Sie können bis 22 Uhr essen . . .

Mr Latimer —*(Ask where the bar is.)*

Dame am Empfang—Gleich hier links um die Ecke.

Mr Latimer —*(Ask to be woken up the next morning at 6.45.)*

Dame am Empfang—In Ordnung – wird gemacht. Einen angenehmen Abend wünsche ich Ihnen.

Mr Latimer —*(Thank her and say good-bye.)*

Aufgaben

Aufgabe 1
Put the following telex into German:

Reservation in the name of Donaldson. Please amend from 3 nights to 2. Now arriving one day later, i.e. Thurs. 9th Nov. instead of Weds. 8th Nov. Please retime collection from airport to 16:00, not 12:30 as previously booked. Kindly confirm at once.

Aufgabe 2
You decide to make a one-day visit to a trade fair in Cologne from Dortmund. Look at the train timetable on page 13 and ring DB central reservations to book a seat (1st class, window, nonsmoker). You intend to get there by 10.30.

Im Empfangsbüro der deutschen Firma

Mr Croft —Guten Tag.

Frau Duschek—Guten Tag. Kann ich Ihnen behilflich sein?

Mr Croft —Mein Name ist Croft. Ich komme von der Firma Lea & Perrins. Ich bin mit Herrn Kiefer für 14 Uhr verabredet.

Frau Duschek—Ich habe leider Ihren Name nicht verstanden. Könnten Sie ihn bitte wiederholen?

Mr Croft —Croft. C–r–o–f–t. Von der Firma Lea & Perrins. L–e–a . . . ach, hier ist meine Visitenkarte. Das ist ja viel einfacher.

Frau Duschek ruft Herrn Kiefers Sekretariat an:

Frau Duschek—Frau Winter. Ja, hier Duschek. Ein Herr Croft von der Firma Lea & Perrins für Herrn Kiefer ist hier. Ah ja . . . Ist gut . . . Ich werde es ihm sagen . . . Bis gleich.

Wieder zu Herrn Croft gewandt:

Frau Duschek—Herr Kiefer ist im Moment noch in einer Besprechung. Ich soll Ihnen jedoch ausrichten, daß es nicht sehr lange dauern wird.

Mr Croft —Das macht nichts. Ich habe erst um 20 Uhr eine Verabredung zum Essen und zwischendurch keine weiteren Termine.

Frau Duschek—Kann ich Ihnen einen Kaffee anbieten? Oder möchten Sie lieber eine Tasse Tee?

Mr Croft —Zu Hause trinke ich normalerweise Tee, aber wenn ich hier in Deutschland auf Reisen bin, trinke ich meistens Kaffee. Mit Milch bitte, wenn's geht.

Frau Duschek—Haben wir auch da. Ich bin sofort wieder zurück. Der Kaffee läuft gerade frisch durch die Maschine.
(Sie kommt zurück)
Hier, bitte schön.

Mr Croft —Vielen Dank. Das ist sehr aufmerksam von Ihnen.

Frau Duschek—Sie sprechen sehr gut Deutsch, Herr Croft. Kommen Sie häufig nach Deutschland?

Mr Croft —So im Durchschnitt 3 bis 4 mal im Jahr. Meistens sind es Kundenbesuche und gelegentlich fahre ich auch auf eine Messe.

Frau Duschek—Stellen Sie auf Messen auch Ihre Produkte aus?

Mr Croft —Bis jetzt noch nicht, aber das wird sich bald ändern. Auf der nächsten Messe werden wir vertreten sein.

Frau Duschek—Ah ja . . . ah, da kommt Herr Kiefer.

Vokabular

das Empfangsbüro (-s) *reception (office)*
verabredet sein *to have an appointment*
wiederholen *to repeat*
die Visitenkarte (-n) *business card*
die Besprechung (-en) *meeting*
ausrichten (+Dat.) *to tell, let someone know*
zwischendurch *meanwhile, between now and then*
der Termin (-e) *appointment*
auf Reisen sein *to travel (around)*
aufmerksam *kind, considerate*
häufig *often, regularly*
im Durchschnitt *on average*
der Kundenbesuch *visiting clients/customers*
gelegentlich *occasionally, sometimes*
ausstellen *to display, exhibit*
sich ändern *to change, alter*
vertreten sein *to be represented*

Redewendungen
kann ich Ihnen behilflich sein? *can I help you?*
wieder zu (+Dat.) gewandt *turning again to . . .*
das macht nichts *it doesn't matter, that's alright*
wenn's geht *if that's okay, if possible*
ich bin sofort zurück *(I'll be) back in a moment*
hier, bitte schön *here you are (offering something)*

1: **Bitte beantworten Sie folgende Fragen:**

1 Für wann ist Herr Croft mit Herrn Kiefer verabredet?

2 Was soll Frau Duschek Herrn Croft ausrichten?

3 Warum macht es Herrn Croft nichts aus?

4 Was möchte Herr Croft trinken?

5 Warum geht Frau Duschek aus dem Büro?

2: **Wie könnte man folgendes auf Deutsch sagen?**

1 I have an appointment for 11 o'clock with Mr Krugmann.

2 Will the meeting last much longer?

3 Have you any other appointments between now and then?

4 We always show our products at trade fairs.

5 That hasn't changed up to now.

Übungen

A **Read the following sentences aloud**

—Ich heiße Iain McPherson. Ich buchstabiere: Groß I-a-i-n und der Nachname groß M-c groß P-h-e-r-s-o-n in einem Wort.

—Ich wiederhole: Ürdingen, groß U-Umlaut r-d-i-n-g-e-n, Friedrichstr. 72, groß F-r-i-e-d-r-i-c-h.

—Schreibt man Grosser mit 'ß' oder mit zwei 's'?

—Unsere Adresse ist Dundee Road, Slough, Berks. Ich buchstabiere: groß D-u-n-d-e-e groß R-o-a-d Komma, neue Zeile, groß S-l-o-u-g-h Komma, neue Zeile, groß B-e-r-k-s, Punkt.

—Unser Vertreter in der Bundesrepublik ist Herr Lörer, das schreibt man groß L-o-Umlaut-r-e-r, seine Adresse ist Mannheim, Oidtweilerweg, groß O-i-d-t-w-e-i-l-e-r-w-e-g 14.

—Der Familienname der Kollegin ist Wisser-Gattner: groß W-i-s-s-e-r Strich groß G-a-t-t-n-e-r.

—Sie müssen auf der Maschine noch ein Schild mit der Aufschrift ON/OFF neben dem Schalter plazieren: groß O, groß N, Schrägstrich, groß O, groß F, groß F.

B **Spell the following words in German:**

—Wittemborg

—Elly Wittge

—Hillington

—Q Cards, Unit 21, Royal Rd, NW11

—Lindbüchl, Heinz

—Gröls GmbH Spedition

—Georg Gschwendtner

—Kaußen-Gruhle

—Münch/Siegmann/Krull

—AltOrsbeck 56

—Kraft-Schlötels GmbH

—Rollen- u. Bogen-Offset

—Jülich-Mersch

—GEKA Textil

—(your name)

—(your address)

C **Make sentences putting the words or phrases in brackets in the correct order:**

Beispiel
Frau Kleiber ist (in München/heute/leider).
- Frau Kleiber ist heute leider in München.

—Die Firma war vertreten (mit einem großen Stand/auf der Messe/im letzten Jahr).

—Er fährt (nach Großbritannien/dreimal im Jahr/mit seinem Verkaufsleiter).

—Das Paket ist angekommen (in Koblenz/vor zwei Tagen/unbeschädigt).

—Die Rechnung wurde abgeschickt (von Bremen/heute morgen/in Eile).

—Das Büro ist geschlossen (unglücklicherweise/morgen).

—Die Geräte wurden verladen (reibungslos/am 03.04/am Bahnhof Hahn).

—Die Produktion wurde verlegt (ins Ausland/im Frühjahr/leider).

—Die Ladung wird verschifft (als erstes/Richtung Schottland/am fünften).

—Der Direktor hat die Ergebnisse besprochen (gestern/kurz/zwischen den beiden Terminen).

—Der Unternehmensberater hat von den Erfolgen berichtet (freudig/vorige Woche/in Berlin).

Rollenspiel

Ms Woolston goes to company reception as she has an appointment with the Managing Director, Herr Henschel.

Frau Lutz —Guten Tag. Sie wünschen bitte?

Ms Woolston—*(Say you have an appointment for 3.30 with Herr Henschel.)*

Frau Lutz —Und Sie heißen, bitte?

Ms Woolston—*(Say your name is Woolston. Explain you are from Michelmore and Co.)*

Frau Lutz —Einen Augenblick, bitte. *(Sie betätigt die Wechselsprechanlage und spricht mit Herrn Henschel.)*
Sie möchten bitte noch ein paar Minuten warten. Herr Henschel muß noch schnell telefonieren. Darf ich Ihnen eine Tasse Tee oder Kaffee anbieten?

Ms Woolston—*(Say you'd like tea – with milk if possible.)*

Frau Lutz —Selbstverständlich. . . . Hier, bitte schön.

Ms Woolston—*(Thank her.)*

Frau Lutz —Wo haben Sie Ihr gutes Deutsch gelernt, wenn ich fragen darf?

Ms Woolston—*(Say you travel regularly to Germany – usually for trade fairs.)*

Frau Lutz —Ach, deshalb sprechen Sie so gut Deutsch! – Ah, Herr Henschel hat jetzt Zeit für Sie. Gehen Sie bitte durch diese Tür und dann geradeaus.

Ms Woolston—*(Thank her.)*

Aufgaben

Aufgabe 1
Before setting off in the morning from the hotel, Mr Baker telephones another distributor, Peter Meinerzhagen, to make an appointment for that afternoon and to arrange where to meet.

Aufgabe 2
With a view to becoming an exhibitor, you write a letter to be faxed on behalf of Lea & Perrins to 'Schenker' to enquire about their services. Request in particular details concerning provision and setting up of stands – can they also provide an interpreter service plus general staff and, if possible, arrange transport to collect display material from the airport.

Aufgabe 3
Send a telex in German to 'ratioflug' as follows:

Request quotation for charter plane Hamburg–Munich, one-day return flight, 8 passengers – confirm availability for either 7th or 8th October.

Aufgabe 4
While exhibiting at the 'Gastronomie International' food fair, you are approached by the chief buyer for the EDEKA supermarket chain who is interested in stocking your product(s). Discuss matters in some detail with him/her, covering the following topics:

product range – current export market – your company's reputation for reliability, efficiency and customer service – competitive prices – highest standards of quality, including packaging – advertising support – forthcoming new ventures.

Wir lösen Ihr Messeproblem.

Zug um Zug.

Die Schenker-Fachleute stellen ihre jahrelangen Erfahrungen für Planung, Transport, Auf- und Abbau, Einsatz von Fahrzeugen und Geräten zur Verfügung.

Für Sie – an 17 Messe- und Ausstellungsplätzen in der Bundesrepublik Deutschland.

SCHENKER & CO GMBH
Zweigniederlassung Frankfurt
Büro: Frankfurt – Messe
Halle 9 –
Zwischengeschoß
Telefon: (069) 740961 und
752570
Telex: 411638 sh d
Telefax: 740965

SCHENKER
messeService

Aufgabe 5
Further to your discussion with the EDEKA buyer, you receive the following telex:

ANKAUFSTEAM MOECHTE FABRIK MOEGLICHST BALD BESUCHEN - BITTE TERMIN VORSCHLAGEN - BITTEN AUCH UM PRODUKTPRAESENTATION U. WOMOEGLICH GLEICHZEITIGE VERTRAGSVERHANDLUNG.

Reply as follows:

Pleased to welcome them – suggest week after next for 2 days – can arrange hotel/transport – please advise nos, arrival/dep. time – please fax in advance your standard terms of contract.

UNIT 5 Erstes Arbeitstreffen

Herr Kiefer—Herein bitte. Ah, Herr Croft. Herzlich willkommen!

Mr Croft —Guten Tag, Herr Kiefer.

Herr Kiefer—Sind Sie gut in Hamburg angekommen?

Mr Croft —Ja, vielen Dank, es hat alles ganz gut geklappt.

Herr Kiefer—Und wie gefällt es Ihnen hier?

Mr Croft —Ich hatte noch nicht genügend Zeit, mich umzusehen. Die Gegend, in der mein Hotel liegt, finde ich sehr schön.

Herr Kiefer—Wie lange bleiben Sie denn in Hamburg, Herr Croft?

Mr Croft —Sonntag früh fliege ich zurück nach London. Ich bin das erste Mal in Hamburg.

Herr Kiefer—Dann können wir ja vielleicht morgen abend einen kleinen Stadtbummel machen, und ich lade Sie dann zum Essen ein. Wie wäre das?

Mr Croft —Das ist sehr freundlich von Ihnen.

Herr Kiefer—Wie wäre es mit einer Tasse Kaffee, bevor wir zum geschäftlichen Teil übergehen?

Mr Croft —Ja, gerne. Das kann ich jetzt gut gebrauchen.

Herr Kiefer—*(betätigt die Wechselsprechanlage)* Frau Winter, könnten Sie uns bitte zwei Kaffee bringen. . . . Danke.

Mr Croft —Wie Sie ja wissen, haben wir in Großbritannien drei neue Gourmet-Saucen auf den Markt gebracht. Und mittlerweile können wir bestätigen, daß die Marktakzeptanz sehr hoch ist.

Herr Kiefer—Das heißt wohl, daß die drei Saucen Nachfolger der berühmten Worcester-Sauce werden sollen?

Mr Croft —Genau. Deshalb planen wir nun, sie auch auf dem deutschen Markt einzuführen. Die Worcester-Sauce ist in über 100 Ländern in Lebensmittelgeschäften zu finden. Sogar in Japan gibt es sie zu kaufen.

Herr Kiefer—Ich glaube, das liegt am guten Image. Die Sauce ist für ihre Qualität weltbekannt und im traditionellen Rezept steckt viel von 'Old England'.

Mr Croft —Ein wenig wollen wir das Image verändern. Wir haben uns nämlich entschlossen, das Etikett der Worcester-Saucenflasche zu modernisieren. Hier sehen Sie einmal. Was halten Sie denn davon?

Herr Kiefer—Ja, die Wirkung finde ich jetzt besser. Das Etikett macht einen stärkeren visuellen Eindruck.

Mr Croft —Aber zurück zu den drei neuen Produkten, Herr Kiefer. Wir haben Ihnen vor Jahren den Alleinvertrieb der Worcester-Sauce in der Bundesrepublik überlassen, und wir sind damit gut gefahren. Ich möchte jetzt gerne mit Ihnen darüber sprechen, ob Sie auch diese weiteren Saucen in Ihr Programm aufnehmen wollen, und wie wir sie in der Bundesrepublik auf den Markt bringen können.

Herr Kiefer—Das hört sich ja sehr interessant an. Aber da kommt ja gerade unser Kaffee. Vielen Dank, Frau Winter.

Vokabular

das Arbeitstreffen (–) *(business) meeting*
gefallen (+Dat.) *to like*
genügend (Zeit) *enough (time)*
sich umsehen *to look/browse round*
die Gegend (-en) *area, district*
der Stadtbummel (–) *walk/stroll round the town*
einladen *to invite*
übergehen zu (+Dat.) *to proceed/pass on to (another matter, etc.)*
die Wechselsprechanlage *(office) intercom*
auf den Markt bringen *to introduce/launch on the market*
mittlerweile *meanwhile, in the meantime*
bestätigen *to confirm*
auf den Markt bringen *to launch*
die Marktakzeptanz ist hoch *the market has taken to it well*
der Nachfolger (–) *successor, follow-on*
einführen *to introduce*
das Lebensmittelgeschäft (-e) *grocery shop*
liegen an (+Dat.) *to be due to/as a result of*
stecken *to be (found)*
verändern *to change, alter*
sich entschließen *to decide*
das Etikett (-en) *label*
die Wirkung (-en) *effect*
der Eindruck (¨-e) *impact, impression*
der Alleinvertrieb *sole agency*
überlassen (+Dat.) *to entrust*
sich anhören *to sound*

Redewendungen
sind Sie gut angekommen? *have you had a smooth journey?*
es hat gut geklappt *it was fine, it went without a hitch*
wie gefällt es Ihnen hier? *how do you like it here?*
wie wäre es mit (+Dat.) . . . ? *how about . . . ? (suggesting something)*
das kann ich gut gebrauchen *that would go down well/I could just do with that*
wir sind damit gut gefahren *it has worked out well for us*

***1:* Bitte beantworten Sie folgende Fragen:**

1. Wie oft war Herr Croft schon in Hamburg?
2. Wie gefällt Herrn Croft Hamburg?
3. Welchen Vorschlag macht Herr Kiefer für morgen abend?
4. Was hat Herr Crofts Unternehmen in Großbritannien auf den Markt gebracht?
5. Was haben diese Produkte mit der Worcester-Sauce zu tun?
6. Was ist für den deutschen Markt geplant?
7. Warum ist die Worcester-Sauce so beliebt in der Welt?
8. Was wird sich an dem Etikett verändern?
9. Welche Geschäftsverbindung hat Herr Crofts Unternehmen mit Herrn Kiefer?
10. Welchen Vorschlag macht Herr Croft in bezug auf die geschäftliche Zukunft?

***2:* Wie könnte man folgendes auf Deutsch sagen?**

1. Do you like it here in Cologne?
2. I'd like to look round, please.
3. How long is he staying?
4. We are travelling to Munich on Monday evening.
5. How about a little stroll round the town?
6. Can I invite you to lunch?

Übungen

A Practise constructions with relative pronouns

Beispiel
Stadtviertel – Restaurant – alt
– Das Stadtviertel, *in dem* das Restaurant liegt, ist sehr alt.

—Fabrik – arbeiten – ganz neu

—Gebäude – Büro – Stadtzentrum

—Zeitschrift – Bericht – interessant

—Hotels – übernachten – teuer

—Die Halle – Ausstellungen stattfinden – im Umbau sein

B Practise constructions with 'daß'

Beispiel
Er kommt morgen früh. (glauben)
– Ich glaube, daß er morgen früh kommt.

—Die Sitzung wird wirklich von Nutzen sein. (glauben)

—Das neue Design wird nicht sofort akzeptiert. (meinen)

—Wir sollten diesen Plan sobald wie möglich in die Wege leiten. (der Meinung sein)

—Er folgt meinem Rat. (hoffen)

—Dieses Produkt läßt sich ohne Schwierigkeiten auf dem englischen Markt einführen. (annehmen)

C Practise constructions using 'sich entschließen . . . zu' + infinitive

Beispiel
Er will zukünftig nur erster Klasse fahren.
– Er hat sich entschlossen, zukünftig nur erster Klasse zu fahren.

—Wir wollen alle möglichen Marktschwankungen in Betracht ziehen.

—Ich will unseren Vertreter in der Schweiz mit dem Problem direkt konfrontieren.

—Die Regierung will die Finanzierung des Plans unterstützen.

—Er will den Bericht an das gesamte Personal verteilen lassen.

Rollenspiel

As sales director, you have an initial meeting in Frankfurt with Frau Pfister, manager of a leading German supermarket chain, with a view to new product distribution.

Frau Pfister —Kommen Sie herein, Herr Robertson. Willkommen in Frankfurt.

Mr Robertson—*(Return the greeting.)*

Frau Pfister —Hoffentlich haben Sie eine gute Reise gehabt?

Mr Robertson—*(Say it was alright, but the 'plane was an hour late.)*

Frau Pfister —Ach ja. So was ist immer ärgerlich. Darf ich Ihnen eine Tasse Kaffee anbieten?

Mr Robertson—*(Accept – say that would go down well.)*

Frau Pfister —Frau Peters, bringen Sie uns zwei Kaffee bitte. Jetzt zur Sache, Herr Robertson. Sie wollen also ein neues Produkt auf den Markt bringen?

Mr Robertson—*(Say that's right – as a follow-up from the toaster which we introduced last year.)*

Frau Pfister —Schön. Die Toaster haben sich sehr gut verkauft und . . . ah, da kommt gerade unser Kaffee.

Aufgaben

Aufgabe 1
You are launching a new product. Compile a short introductory letter to a German agent to tell him about it. Use a specific product.

Aufgabe 2
Give an oral presentation of a new product being introduced by your company. Use a specific product.

Aufgabe 3
Describe briefly to your German agent on the telephone the new label design for your product.

Aufgabe 4
As a wine importer, you meet a German producer in Boppard-am-Rhein who has indicated an interest in exporting to the U.K. In your conversation, convey the following points:

—You like the wines you have tasted and are interested in importing them

—You would need a minimum quantity of 500 cases per month and hope such an order could be met

—Suggest he might like to come to England next month bringing samples of the range he offers. Arrange date/time

Aufgabe 5
Further to your meeting in Germany with a wine producer, write a letter from England based on the following draft:

—Confirm your company's interest in importing the wines

—Ask if he could now come a day later than agreed, due to an unexpected meeting you have to attend

—Request copies of various labels in advance by post or fax

—Ask if he could also recommend a producer of Moselle wines, which your company would like to include in its expanding range

Aufgabe 6

Encouraged by success in exporting English wine to Germany, your company wishes to investigate the Austrian market. Write an introductory letter to Lorenz & Co., Getreidegasse 19, 1010-Wien, Österreich (recommended to you by a business contact) who carry out market research. Include the following details:

—how you know of them

—description of the product

—timescale envisaged for product launch and marketing

—information required: market size, retail system for the wine and spirit trade, competition, distribution channels

Fortsetzung ‚Erstes Treffen'

Herr Kiefer—Nun, lieber Herr Croft, erklären Sie mir doch noch einmal, an welche drei Saucen Sie denn denken.

Mr Croft —Es handelt sich um drei verschiedene Geschmacksrichtungen, nämlich: 'Zitrone mit Kräutern', dann 'Chilli mit Knoblauch' und 'Würzige Pfeffersauce'. Vielleicht müssen wir uns über diese Bezeichnungen auch noch unterhalten. Hier kann ich Ihnen die englischen Prospekte zeigen und ich habe Ihnen natürlich die drei Fläschchen als Probe mitgebracht.

Herr Kiefer—Könnte ich mal probieren?

Mr Croft —Normalerweise kann man die Saucen nicht pur trinken, aber versuchen Sie es einmal mit einem Stückchen Brot, dann können Sie sich vorstellen, zu welchen Gerichten die Gourmetsaucen passen.

Herr Kiefer—Jetzt aber zur Strategie. Wie stellen Sie sich denn die Einführung in den deutschen Markt vor?

Mr Croft —Mein Vorschlag ist, daß wir einen begrenzten Testmarkt bestimmen und uns ein halbes Jahr Zeit geben. Danach können wir uns die Daten, insbesondere die Verkaufszahlen anschauen und weitere Entscheidungen treffen. Was halten Sie davon?

Herr Kiefer—Ich bin mir nicht sicher, ob da ein halbes Jahr ausreicht. Ich glaube auch, daß es schneller gehen würde, eine Untersuchung durch ein Marktforschungsinstitut in Auftrag zu geben.

Mr Croft —Naja, Zeit können wir dadurch gewinnen, aber wir sollten das Geld doch lieber sparen und später für die Werbung verwenden.

Herr Kiefer—Da Sie die Kosten tragen, entscheiden Sie am Ende, Herr Croft. Und Sie müssen auch das Risiko übernehmen, wenn am Ende die Saucen in den Regalen stehen bleiben.

Mr Croft —Ich bin überzeugt, daß wir langfristig zum Erfolg kommen werden. Ich bin bereit, Risiken einzugehen.

Herr Kiefer—Ihre Einstellung gefällt mir, Herr Croft. Ich werde Sie unterstützen, so gut ich kann. Ich habe Ihnen auch einen Vorschlag zu machen. Was halten Sie davon, Hamburg als Testmarkt zu nehmen? Wir können dann hier von unserer Firma aus die Entwicklung beobachten, und wenn wir uns hier regelmäßig treffen, können wir die Ergebnisse auswerten.

Mr Croft —Das halte ich für eine sehr gute Idee. Ich glaube, daß Hamburg uns repräsentative Daten liefern wird. Desweiteren wird es für uns überschaubar sein.

Herr Kiefer—Sollen wir uns vielleicht noch einmal zusammensetzen, um uns den Hamburger Markt genauer anzusehen? Dann können wir entscheiden, welche Einzelhandelsketten und sonstigen Geschäfte die Saucen in ihr Sortiment aufnehmen sollten.

Mr Croft —Einverstanden. Ich freue mich auf die Zusammenarbeit mit Ihnen, Herr Kiefer.

Herr Kiefer—Apropos Saucen: Ich möchte Sie gerne heute abend zum Essen einladen. Haben Sie schon etwas vor, oder kann ich Sie mit einem Fischessen am Hamburger Hafen reizen?

Mr Croft —Da sag' ich nicht nein. Vielen Dank für die Einladung.

Herr Kiefer—Ich hole Sie um 8 Uhr von Ihrem Hotel ab, ja?

Mr Croft —Gut, ich erwarte Sie dann um acht. Bis heute abend dann.

Herr Kiefer—Bis heute abend.

Vokabular

erklären *to explain*
denken an (+Acc.) *to think of*
die Geschmacksrichtung (-en) *(trend in) flavour, taste*
die Bezeichnung (-en) *designation, name, label (labelling)*
sich unterhalten über (+Acc.) *to discuss, talk about*
der Prospekt (-e) *brochure*
das Fläschchen (−) *(small) bottle*
die Probe (-n) *sample*
sich (Dat.) etwas vorstellen *imagine, envisage, get an idea of*
passen zu *to suit, match, go with*
bestimmen *to designate, pinpoint, 'earmark'*
die Verkaufszahlen *sales figures*
eine Entscheidung treffen *to make a decision*
ausreichen *to be sufficient, (long) enough*
die Untersuchung (-en) *survey, analysis, investigation*
in Auftrag geben *to commission*
die Werbung *advertising*
stehen bleiben *to remain, be 'stuck'*
langfristig *in the long term*
zum Erfolg kommen *to succeed, be successful*
Risiko eingehen *to run the risk*
die Einstellung *attitude, approach*
auswerten *to evaluate*
sich zusammensetzen *to get together, have a meeting*
die Einzelhandelskette (-n) *retail chain*
das Sortiment *range, selection (of products)*
etwas vorhaben *to have something 'on'/planned*
reizen mit (+Dat.) *to tempt with*

Redewendungen

ich bin mir nicht sicher — *I'm not sure/certain . . .*

was halten Sie davon? — *what do you think of/about it?*

das halte ich für . . . — *I think that's . . ./I consider that to be . . .*

es wird für uns überschaubar sein — *it will be within our scope (it will not be too large an area for us to survey)*

ich sehe es mir genauer an — *I'm taking a closer look at it*

1: **Bitte beantworten Sie folgende Fragen:**

1 Was hat Herr Croft für Herrn Kiefer dabei?

2 Warum schlägt Herr Croft vor, die Saucen mit Brot zu essen?

3 Zu welchem Zweck soll Herr Kiefer die Saucen probieren?

4 Was für Bedenken hat Herr Croft in bezug auf den Vorschlag eines Testmarkts?

5 Aus welchen Gründen lehnt Herr Croft Marktforschung ab?

6 Warum findet Herr Croft die Idee, Hamburg als Testmarkt zu nehmen, gut?

7 Welche Entscheidung müssen die beiden Geschäftspartner noch treffen?

8 Wie beendet Herr Kiefer das Gespräch?

2: **Wie könnte man folgendes auf Deutsch sagen?**

1 It concerns a new test market.

2 We must discuss it again.

3 How do you envisage the advertising, then?

4 What do you think of the idea?

5 I'm convinced we can save time that way.

6 We're looking forward to working together with them.

7 May I invite you for a meal tomorrow evening?

8 Can you please pick me up at the airport?

Übungen

A Practise: verbs + preposition

Beispiel
denken an – Fernsehwerbung (ich)
– Ich denke an die Fernsehwerbung

—sprechen über – Rundreise durch Deutschland (wir)

—anfangen mit – Bericht aus Köln (er)

—warten auf – Kreditbrief (ich)

—rechnen mit – Inflation (sie: 'they')

—arbeiten an – Projekt (wir)

B Complete these sentences appropriately with *könnte/möchte/sollte* in the correct form:

Beispiel
______ Sie bitte morgen früh anrufen?
– Könnten Sie bitte morgen früh anrufen?

—Wir ______ so bald wie möglich eine Lösung finden.

—Ich ______ Sie morgen mittag zum Essen einladen.

—Meiner Meinung nach ______ er sofort nach London zurückfliegen.

—______ Sie eventuell die Zahlungsfrist verlängern?

—Sie ______ bitte diese Unterlagen photokopieren lassen.

—Womöglich ______ er das nächste Treffen im voraus planen.

C Practise reflexive verbs

Beispiel
sich unterhalten – regelmäßig (wir)
– Wir unterhalten uns regelmäßig.

—sich handeln um – Jahresbericht (es)

—sich freuen auf – Besuch (ich)

—sich befinden – Stadtzentrum (das Hotel)

—sich interessieren für – neue Produkte (wir)

—sich beziehen auf – Zollbescheinigung (ich)

D **Use 'man' to replace these passive constructions:**

Beispiel
Von hier aus können Ferngespräche geführt werden.
– Man kann von hier aus Ferngespräche führen.
(Von hier aus kann man Ferngespräche führen.)

—Am besten kann im Ratskeller gegessen werden.

—Bei uns in der Firma wird kein Deutsch gesprochen.

—Es kann am einfachsten aus der Tabelle entnommen werden.

—Es wird gesagt, daß die Tiefkühlkost immer beliebter wird.

—Es könnte eventuell durch eine Meinungsumfrage untersucht werden.

—Von Hamburg kann direkt nach Mailand geflogen werden.

—Zum Abendbrot wird normalerweise Bier getrunken.

Rollenspiel

You continue your meeting with Frau Pfister (see **Rollenspiel**, Unit 5)

Frau Pfister —Nun, sagen Sie mir, Herr Robertson, wie haben Sie denn vor, den Sandwich-Toaster auf den deutschen Markt einzuführen?

Mr Robertson—*(Say you would like to designate a test market – you think Munich is a good one – and look at the results after 9 months.)*

Frau Pfister —Ja. Meinen Sie nicht, daß wir lieber ein ganzes Jahr warten sollten?

Mr Robertson—*(Say you think you ought to save time and anyway you're prepared to take the risk.)*

Frau Pfister —Naja, letzten Endes müssen Sie ja entscheiden! Auf alle Fälle sollten wir uns sofort mit der Filiale in München in Verbindung setzen.

Mr Robertson—*(Agree, saying you think that's an excellent idea.)*

Frau Pfister —Also, gut. Ich würde Sie gerne heute abend zum Essen einladen.

Mr Robertson—*(Thank her very much – say you have nothing planned and gladly accept. Ask if 7 o'clock would be alright.)*

Frau Pfister —Ja, das paßt mir gut. Ich hole Sie dann um 7 Uhr vom Hotel ab.

Mr Robertson—*(Say fine – you'll expect her at 7 – say goodbye for now.)*

Aufgaben

Aufgabe 1

Compile a letter in reply to the telex below which you have received from the German distributor:

SCHLAGE VOR MARKTFORSCHUNG STATT TESTMARKT. DADURCH ZEIT GESPART. IST PRODUKT EG-NORMEN ANGEPASST? BITTE NACHFORSCHEN. ANTWORT BITTE SCHNELL. DRINGEND: AKTUELLSTE PREISLISTE IN DM. MOECHTE FABRIK IN ENGLAND BESICHTIGEN. BITTE TERMIN VORSCHLAGEN: MFG.

Aufgabe 2

After sending a reply letter to the German distributor, you 'phone through as you need to change the date suggested for the factory visit. Suggest, too, he may like to stay over the weekend, outlining to him some 'social' activities.

Aufgabe 3

Write a letter to the 'Deutscher Einzelhandelskettenverband' requesting information on the major retail chains including size, areas covered and, where possible, sales/turnover figures.

Aufgabe 4

Write a short report in German on the meeting between Mr Croft and Herr Kiefer outlining the progress made so far.

Aufgabe 5

You wish to take out the trial subscription for 'trend letter'. Fill in the coupon accordingly. The account manager has asked for a translation of the terms and guarantee given on the coupon – provide this in memo form.

Sie müssen nicht alles lesen, um das Wichtigste zu wissen.

trendletter wertet für Sie über 100 internationale Wirtschaftszeitschriften und Fachblätter aus und faßt das Wichtigste in konzentrierten Highlight-Informationen zusammen. Sie sparen zweierlei: viel Zeit und mindestens 40 000 Mark. Denn so viel kosten die ausgewerteten Publikationen im Jahr. Alle Informationen mit Quellenangaben.

Im Restaurant

Herr Kiefer hat Herrn Croft vom Hotel abgeholt. Sie sind gemeinsam zum Restaurant gefahren.

Herr Kiefer—*(betritt das Restaurant)* Wollen wir diesen Tisch hier am Fenster nehmen, Herr Croft?

Mr Croft —Ja, gerne.

Herr Kiefer—Dies ist ein traditionelles Hamburger Hafenrestaurant. Besonders gut kann man hier Fisch essen, aber auch andere Gerichte. Mögen Sie Fisch?

Mr Croft —Oh ja, sehr gerne. Sie müssen mir aber beim Aussuchen helfen.

Kellnerin —Guten Abend, die Herren. Hier sind die Speisekarten. Kann ich Ihnen schon etwas zu trinken bringen?

Mr Croft —Ich hätte gerne ein Bier.

Herr Kiefer—Ja, für mich auch.

Kellnerin —Zwei kleine Flensburger Pils?

Herr Kiefer—Ja, bitte.

Mr Croft —Ich trinke gerne deutsches Bier, wenn ich hier bin. Es ist würziger als englisches.

Herr Kiefer—Was für Bier trinken Sie denn in England? Ist das nicht lauwarm?

Mr Croft —Ja, wir haben das dunkle Bier, welches nicht gekühlt wird, und das ist das traditionelle englische Bier. Dann gibt es noch das helle, das meistens importiert wird. Aber frisch gezapftes Bier hier schmeckt besser als diese Importware.

Herr Kiefer—Sie wissen ja, daß es für deutsches Bier ein Reinheitsgebot gibt. Keine Zusatzmittel und Konservierungsstoffe sind gestattet.

Mr Croft —Mit Lebensmitteln ist man in Deutschland sehr genau. Wissen Sie noch, wie wir die Beschriftung der Etiketten verändern mußten?

Herr Kiefer—Es ist Vorschrift, daß alle Zutaten aufgelistet sind und genaue Bezeichnungen haben. Das hat uns viel Zeit gekostet. . . . So, nun müssen wir aber bald bestellen.

Mr Croft —Ich habe auch einen ganz schönen Hunger.

Herr Kiefer—Hier sehen Sie, sind die Fischgerichte. Die Aalsuppe ist hervorragend. Die kann ich Ihnen empfehlen. Oder vielleicht der Krabbencocktail?

Mr Croft —Von der Aalsuppe habe ich gehört, die muß ich probieren.

Herr Kiefer—Gut, ich nehme den Krabbencocktail. Und als Hauptgang? Wie wäre es mit einer Seezunge?

Mr Croft —Einverstanden. Müssen wir dazu noch Beilagen aussuchen?

Herr Kiefer—Das wird mit Salzkartoffeln und gemischtem Salat serviert.

Kellnerin —Haben Sie schon ausgesucht, was Sie bestellen wollen?

Herr Kiefer—Ja, ich hätte gerne den Krabbencocktail und die Seezunge.

Kellnerin —Gut, und was darf ich Ihnen bringen?

Mr Croft —Für mich bitte: Aalsuppe und auch Seezunge als Hauptgericht.

Kellnerin —Gut. Noch zwei Bierchen, die Herren?

Herr Kiefer—Oh ja, bitte.

Etwas später, nach dem Hauptgericht . . .

Herr Kiefer—. . . was natürlich dem Im- und Export häufig noch die größten Schwierigkeiten bereitet sind die Schwankungen der Wechselkurse.

Mr Croft —Aber man darf auch nicht meinen, daß die Exportfirma, die die Rechnungen in der eigenen Währung ausstellt, einen Vorteil davon hat. Macht es Ihnen denn Probleme, daß wir Ihnen die Rechnungen in Pfund ausstellen?

Herr Kiefer—Das bedeutet für uns erst einmal, daß wir nie genau wissen, wieviel wir in den nächsten Monaten bei neuen Bestellungen zu bezahlen haben.

Mr Croft —Genau wie Sie bei der Abwertung Verluste hinnehmen müssen, machen Sie jedoch bei der Aufwertung der D-Mark einen Gewinn.

Herr Kiefer—In letzter Zeit lief es nicht zu unseren Gunsten.

Mr Croft —Außerdem verändern sich auch häufig Preise, die in der Währung des Empfangslandes fakturiert sind – immer mit der Begründung, die Wechselkurse hätten die Preise beeinflußt.

Herr Kiefer—Wie hoch im Kurs steht denn jetzt noch ein Nachtisch bei Ihnen?

Mr Croft —Sehr hoch. Satt bin ich schon, aber etwas Süßes werde ich noch schaffen.

Herr Kiefer—Ich kann den 'Himbeerschaum mit Vanilleeis' und die 'Johannisbeeren im Mandelring' empfehlen.

Mr Croft —Dann lasse ich mich vom Himbeerschaum überraschen.

Herr Kiefer—Fräulein, zweimal Himbeerschaum und machen Sie bitte die Rechnung fertig. . . . Ich darf Sie doch zu diesem Essen einladen, Herr Croft.

Mr Croft —Vielen Dank, Herr Kiefer. Wenn Sie nach England kommen, werde ich mich revanchieren.

Vokabular

abholen *to pick up (by car, etc.)*
gemeinsam *together*
das Gericht (-e) *dish, course (in a meal)*
das Aussuchen *choosing, selecting*
die Speisekarte (-n) *menu*
lauwarm *room temperature, lukewarm*
gekühlt *chilled*
gezapft *draught (beer)*
das Reinheitsgebot *German law of purity (for beer)*
das Zusatzmittel (–) *additive*
der Konservierungsstoff (-e) *preservative*
gestatten *to permit, allow*
genau *meticulous, strict, exact*
die Beschriftung (-en) *marking, caption*
die Vorschrift (-en) *rule, regulation*
die Zutat (-en) *ingredient*
die Bezeichnung (-en) *name, designation*
bestellen *to order (food, drink, goods)*
hervorragend *excellent, outstanding*
probieren *to try, sample*
der Hauptgang (¨-e) *main dish*
die Beilage (-n) *accompaniment, garnish (plural also: vegetables)*
die Schwankung (-en) *fluctuation, variation*
der Wechselkurs (-e) *rate of exchange (currency)*
die Währung (-en) *currency*
einen Vorteil haben von (+Dat.) *to gain an advantage from*
erst einmal *first and foremost, above all*
genauso wie . . . *just as . . .*
die Abwertung (-en) *devaluation*
der Verlust (-e) *loss*
hinnehmen *to accept (negative), put up with*
die Aufwertung (-en) *revaluation (upward)*
der Gewinn (-e) *profit*
das Empfangsland (¨-er) *the 'receiving' country*
fakturieren *to invoice*
die Begründung (-en) *justification*
sich revanchieren *to reciprocate, return the compliment*

Redewendungen
es ist würziger *it has more taste (flavour)*
was für . . . ? *what kind/type of . . . ?*
wissen Sie noch, wie . . . ? *do you recall/remember how . . . ?*
es bereitet mir Schwierigkeiten *it causes me difficulties/problems*
man darf nicht meinen, daß *you should not assume that . . . it should not be assumed that . . .*

es läuft zu unseren Gunsten *things are going our way*
hoch im Kurs stehen *to rate high (lit.: to be at a premium)*
ich werde es noch schaffen *I shall/can still manage it*
ich lade Sie zum Essen ein *allow me to pay for the meal*

***1:* Bitte beantworten Sie folgende Fragen:**

1 Was für ein Restaurant hat Herr Kiefer ausgewählt?

2 Warum trinkt Herr Croft gerne deutsches Bier?

3 Was bedeutet das Reinheitsgebot?

4 Was ist bei Lebensmitteln Vorschrift in der Bundesrepublik?

5 Was verursacht Schwierigkeiten für den Im- und Export?

6 Welchen Vorteil könnte Herr Kiefer davon haben, wenn die Rechnungen in Pfund ausgestellt sind?

7 Welcher Grund wird für die Preisveränderungen bei Fakturierung in der Währung des Empfangslandes genannt?

***2:* Wie könnte man folgendes auf Deutsch sagen?**

1 Do you like white wine?

2 I'd like a glass of red wine.

3 What sort of beer do people drink in Germany?

4 That saved me a lot of money.

5 Would you like to order now?

6 How about a chocolate ice-cream?

7 Could you manage a coffee and a liqueur?

8 I'd like to invite you for a meal tomorrow evening.

Übungen

A **Complete each of these sentences with the appropriate relative pronoun.**

Beispiel
Das Büro, ____ wir zur Zeit benutzen, befindet sich in der vierten Etage.
– Das Büro, das wir zur Zeit benutzen, befindet sich in der vierten Etage.

—Das Hotel, in ____ wir tagen wollen, liegt direkt im Stadtzentrum.

—Die Aufwertung der Währung, ___ für uns natürlich von Vorteil ist, war stärker als erwartet.

—Die Konkurrenten, ___ Druck auf den Preis erheblich ist, befinden sich alle in Europa.

—Die Firma, ___ Herstellungsprozeß vollkommen neuartig ist, bedeutet jedoch keine Gefahr für unseren Absatz.

—Die deutschen Großhändler, mit ___ wir zusammenarbeiten, haben uns immer gut beliefert.

—Typisch für ihren guten Ruf ist die durchdachte Planung und Genauigkeit des Arbeitsvorgangs, ___ wir im Detail studiert haben.

—Mein jetziger Geschäftspartner, ___ zweisprachige Sekretärin früher bei uns gearbeitet hat, ist sprachlich auch sehr begabt.

B **Complete these sentences, using the appropriate form of 'der, die, das'.**

Beispiel
___ Buchung muß in einem ___ aufgeführten Länder gemacht werden.
– Die Buchung muß in einem der aufgeführten Länder gemacht werden.

—Alle Preise sind in ___ Landeswährung aufgeführt.

—___ Mietvertrag muß von ___ Mieter des Fahrzeuges unterzeichnet werden.

—___ Besucher findet ___ wichtigen Geschäfte in ___ Norden ___ Stadt.

—___ Eintrittskarten sind in allen Reisebüros erhältlich, ___ an ___ 'Start'-Buchungssystem angeschlossen sind.

—___ internationalen Messen bieten ___ Besuchern ___ Möglichkeit, mit ___ verschiedenen Industriebranchen ___ ganzen Welt in Kontakt zu treten.

—Achten Sie bitte bei ___ Ankunft darauf, daß Sie sich für ___ Zollkontrolle in ___ richtige Halle begeben!

Rollenspiel

Mr Croft entertains Herr Kiefer to a meal in England. Take the part of Mr Croft.

Mr Croft —*(Greet Herr Kiefer and suggest a corner table.)*

Herr Kiefer—Fein. Die Atmosphäre ist vielversprechend. Es gefällt mir sehr!

Mr Croft —*(Express pleasure at his remarks and point out that you have chosen a typical English country-house restaurant. That's why you have driven out of Worcester a little way.)*

Herr Kiefer—Das war es wert. Die Landschaft ist wirklich sehr schön.

Mr Croft —*(Suggest you order straightaway to be sure of a good choice as time is getting on a bit.)*

Herr Kiefer—Selbstverständlich. Ich habe sowieso einen Mordsappetit!

Etwas später . . .

Mr Croft —*(Ask if he enjoyed the meal and if he has had enough – or would he also like cheese.)*

Herr Kiefer—Danke, nein. Wir haben reichlich gegessen. Es hat mir sehr geschmeckt – und der gute englische Wein war für mich eine große Überraschung.

Mr Croft —*(Explain that the grape varieties (Rebsorten) for English wine are predominantly German – especially Müller-Thurgau – and anyway English vineyards (Weinberge) mainly lie further south than German ones.)*

Herr Kiefer—Das ist ja sehr interessant. Das hab' ich nicht gewußt.

Mr Croft —*(Ask if he at least could manage a coffee and liqueur to finish.)*

Herr Kiefer—Ein Cognac würde mir jetzt gut tun. Danke.

Aufgaben

Aufgabe 1

As buyer for a major supermarket chain, you have been approached by a German brewery seeking a U.K. distributor for their range of beers, including low-alcohol lager. Reply on the following lines:

—You are potentially interested in the proposition

—Explain that there would be good opportunities for continental-style lager

—The low-alcohol lager would be especially popular in the light of vigorous anti-drink-and-drive campaigns in the U.K.

—Emphasise that your sales are extremely high in the drinks market and this would necessitate very large supplies indeed (maybe approaching 2,000 cases per month)

—Express willingness to meet and discuss the matter further

Aufgabe 2
You receive the following telex from the German brewery:

BRIEF ERHALTEN - HERZLICHEN DANK. BITTE INFORMATION SENDEN UEBER
ENGLISCHES BIERGESETZ, INSBESONDERE REINHEITSGEBOT, ETIKETTEN-
VORSCHRIFTEN U.A.
MEIN TERMINVORSCHLAG FUER TREFFEN IN ENGLAND WAERE:
DO. U. FR. DEN 25. U. 26.02.
BITTE MOEGLICHST UMGEHEND BESTAETIGEN U.EVENTUELL UNTERKUNFT
RESERVIEREN. MFG.

Send a telex in reply, saying: – will mail info on beer and labelling laws – no 'Reinheitsgebot' in U.K. – dates suggested fine – will book hotel as requested. Looking forward to meeting.

Translate these telexes:

Aufgabe 3

847161 KEMPSKI
293303 EXPOCO

PLEASE RESERVE 4 SINGLE ROOMS WITH PRIVATE FACILITIES FOR 3 NIGHTS
FROM NOVEMBER 14TH. ALSO REQUEST HIRE CAR FOR 4 FOR NOVEMBER 15TH TO
BE READY FOR COLLECTION AT 8AM. KINDLY RESERVE TABLE FOR 8 FOR
DINNER ON THE EVENING OF NOVEMBER 16TH AT 7.30PM. ANTICIPATE ARRIVAL
ON THE 14TH AT ABOUT 5PM.

Aufgabe 4

293303 EXPOCO
847161 KEMPSKI

BESTAETIGEN RESERVIERUNG WIE GEWUENSCHT, SOWIE AUTOVERMIETUNG DURCH
AVIS UND ZWAR: WAGENTYP AUDI 100 ZUM TAGESPAUSCHALPREIS VON 520,-DM
(UNBEGRENZTE KM). BITTE MITTEILEN, OB SPEZIALMENUE ERWUENSCHT FUER
ABENDESSEN AM 16. MENUEVORSCHLAEGE FOLGEN PER TELEKOPIERER.
MFG

Aufgabe 5

660044 INTCONT
512580 FINTEX

RE. HOTEL RESERVATION IN NAME OF WILLIAMSON. PLEASE AMEND AS FOLLOWS: 2 SINGLES - CANCEL FOR MARCH 10, RESERVE INSTEAD FOR MARCH 7 AND ADD ONE MORE SINGLE, ALL WITH USUAL FACILITIES. PLEASE ADVISE ON AVAILABILITY OF 'EUROPA' CONFERENCE SUITE WITH TARIFF DETAILS - REQUEST EARLY APRIL FOR 3 DAYS, FULL FACILITIES PLUS SIMULTANEOUS TRANSLATION.

Aufgabe 6

512580 FINTEX
660044 INTCONT

BESTAETIGE RESERVIERUNGSAENDERUNG LAUT FS. "EUROPA" -KONFERENZSUITE LEIDER AUSGEBUCHT: OFFERIEREN STATTDESSEN "CONSUL" -SUITE. DETAILS WIE FOLGT:
- RAUEME FUER 25 BIS 75 PERSONEN
- SERVICEPERSONAL FUER IMBISSE UND GETRAENKE
- MIKROPHONANLAGEN, TELEPHONANSCHLUESSE, LEINWAND, VIDEO
- DOLMETSCHERDIENST (AUF WUNSCH)

VERFUEGBAR DEN GANZEN MONAT APRIL. BEI SOFORTIGER RUECKANTWORT SONDERPREIS.
MFG

Gespräch über Geschäftsbedingungen und Preise

Herr Kiefer—So, Herr Croft, lassen Sie uns heute mal über Preise und Ihre Geschäftsbedingungen sprechen. Ich hoffe, daß sie sich nicht wesentlich von denen der Worcester-Sauce unterscheiden.

Mr Croft —Für den Testmarkt führen wir die drei neuen Saucen natürlich nur in den 142ml Flaschen ein, nicht in der 284ml Größe. In einem Karton befinden sich 12 Flaschen und wir packen normalerweise 200 Kartons auf eine Palette.

Herr Kiefer—Aus welchem Material ist dieser Karton?

Mr Croft —Er hat einen Kartonboden und ist oben plastikverschweißt. Die genauen Ausmaße und das Gewicht können Sie dieser Broschüre entnehmen.

Herr Kiefer—Wie teuer ist denn jetzt ein Karton der Gourmet-Sauce, Herr Croft?

Mr Croft —Der Preis beträgt £22,– pro Karton – das versteht sich ab Fabrik. Wie Sie sicher verstehen, gibt es da keinen Spielraum mehr.

Herr Kiefer—Natürlich, aber wir können ja über die Geschäftsbedingungen sprechen. Wir werden doch dabei bleiben, daß wir als Großhandel nur volle Containerladungen von Ihnen zugestellt bekommen, um die Unkosten niedrig zu halten.

Mr Croft —Diese Ladungen können auf jeden Fall kombinierte Aufträge von unterschiedlichen Produkten unseres Hauses sein.

Herr Kiefer—Dafür bin ich sehr, denn wir wollen, daß Ihre Artikel immer bei uns vorrätig sind.

Mr Croft —Gleichzeitig kann ich Ihnen jedoch auch einen Mengenrabatt anbieten, wenn Sie mehr als 1.000 Kartons einer bestimmten Sauce pro Jahr abnehmen. Dieser beträgt 1% der Rechnungssumme.

Herr Kiefer—Diesen Rabatt muß ich natürlich an meine Einzelhandelskunden weitergeben.

Mr Croft —Den Preis handeln Sie ja mit Ihren Kunden selbst aus: Sie entscheiden, ob der Preis im Einkauf DM 2,60 oder DM 2,70 beträgt.

Herr Kiefer—Mich werden meine Kunden sicherlich nach einem Einführungsrabatt fragen, da sie zusätzliche Kosten haben werden und den neuen Saucen Platz schaffen müssen.

Mr Croft —Von meiner Seite aus kann ich Ihnen als Importeur einen Einführungsrabatt von 1% einräumen, begrenzt auf ein Jahr.

Herr Kiefer—Damit bin ich einverstanden. Räumen Sie uns auch Skonto ein, Herr Croft?

Mr Croft —Wie bislang kann ich Ihnen 3% Skonto bei Bezahlung innerhalb von 30 Tagen anbieten.

Herr Kiefer—Könnten wir das nicht auf 60 Tage verlängern?

Mr Croft —Oh, Herr Kiefer, das ist uns wirklich nicht möglich. Wir bieten Ihnen da sowieso einen Sonderservice an, und unsere Konditionen sind schon recht großzügig.

Herr Kiefer—Das ist auch weiter kein Problem. Ich glaube, wir haben jetzt alle Punkte abgedeckt, und ich akzeptiere Ihre Konditionen. Ich hoffe, unsere Testphase wird uns positive Ergebnisse bringen.

Mr Croft —Das hoffe ich auch. Ich verabschiede mich dann für heute von Ihnen. Alles Gute, Herr Kiefer.

Herr Kiefer—Alles Gute, Herr Croft. Auf Wiedersehen.

Mr Croft —Auf Wiedersehen.

Vokabular

die Geschäftsbedingungen *terms (of business)*
sich unterscheiden von (+Dat.) *to differ, vary from*
plastikverschweißt *plastic-sealed (in 'Shrinkwrap')*
ab Fabrik *ex-works*
der Spielraum *room to manoeuvre, latitude, 'leeway'*
etwas zugestellt bekommen *to receive something (i.e. to have something delivered)*
die Unkosten *costs, outlay, overheads*
vorrätig *in stock*
der Mengenrabatt *volume discount*
die Rechnungssumme *invoice amount*
aushandeln *to negotiate*
der Preis im Einkauf *retail price*
zusätzlich *additional*
Platz schaffen (+Dat.) *to make room for*
einräumen *to grant, accord, give (discount)*
das Skonto *discount (in West Germany usually given up to a legal maximum of 3% for cash payment or payment made within a stipulated limited period)*
die Konditionen *terms*
großzügig *generous*
sich verabschieden von (+Dat.) *to say good-bye, take (one's) leave of*

Redewendungen
das versteht sich *that is to be understood, that means*
ich bin sehr dafür *I'm all in favour of that*
wie bislang *as till now, as hitherto*

***1:* Bitte beantworten Sie folgende Fragen:**

1 Wo kann Herr Kiefer nähere Einzelheiten über die Kartons bekommen?

2 Warum besteht Herr Kiefer auf volle Containerladungen?

3 Wovon hängt der Mengenrabatt ab?

4 Warum ist den Kunden von Herrn Kiefer ein Einführungsrabatt wichtig?

5 Was sind die Bedingungen des Einführungsrabatts?

***2:* Wie könnte man folgendes auf Deutsch sagen?**

1 I hope they are basically the same size.

2 You can take the prices from this catalogue.

3 The price is quoted ex-works.

4 Can you, however, grant me a discount too?

5 For our part, we can offer you 2% volume discount.

6 Do you agree to that?

7 Couldn't we discuss that next week?

8 We'll take our leave of you for today.

Übungen

A **Convert these sentences into the past tense.**

Beispiel
Wir schicken die Ladung pünktlich ab.
– Wir haben die Ladung pünktlich abgeschickt.

—Wir bezahlen die Rechnung innerhalb der gesetzten Frist.

—Er teilt mir die Exportquoten am ersten des Monats mit.

—Orientieren sie sich an meinem Vorschlag?

—Dieses Produkt setzen wir schon in allen Mitgliedsstaaten der Europäischen Gemeinschaft ab.

—Wir veröffentlichen unsere neuesten Statistiken noch heute.

B Answer the questions using the appropriate 'link word'

Beispiel
Sind Sie mit der Idee einverstanden?
– Ja, ich bin damit einverstanden.

—Möchten Sie etwas zum Thema sagen?

—Muß man etwas länger auf das Luxusmodell warten?

—Arbeiten Sie schon seit letztem Jahr an diesem Projekt?

—Möchten Sie zum Essen ein Glas Bier?

—Haben Sie schon von dieser Marke gehört?

C Rewrite these sentences, starting as shown

Beispiel
Ich kenne schon den Verkaufsleiter dieser Firma. Den Verkaufsleiter . . .
– Den Verkaufsleiter dieser Firma kenne ich schon.

—Wir müßten den Preis vielleicht noch schärfer kalkulieren. Den Preis . . .

—Wir können mit dem neuen Layout nicht zufrieden sein. Mit dem neuen Layout . . .

—Ich hatte wirklich mehr Spielraum bei den alten Geschäftsbedingungen. Bei den alten Geschäftsbedingungen . . .

—Wir müssen den Vertragstext unbedingt nächste Woche fertig haben. Den Vertragstext . . .

—Dieses Unternehmen gehört schon seit einiger Zeit zu meinem Kundenkreis. Zu meinem Kundenkreis . . .

Rollenspiel

You meet Frau Pfister again to discuss terms of business and prices (see Rollenspiele Units 5 and 6).

Frau Pfister —Es freut mich, Sie wiederzusehen, Herr Robertson. Kommen Sie doch herein.

Mr Robertson—*(Thank her and return the compliment. Say you're pleased that there isn't such a hurry on this occasion.)*

Frau Pfister —Ja, das stimmt. Nun aber direkt zur Sache! Ich hoffe, daß Sie uns weiter einen Mengenrabatt gewähren können.

Mr Robertson—*(Confirm this, adding that the discount will be for orders in excess of 500 cases of each item per half year. It will amount to 3% of the invoice amount.)*

Frau Pfister —Gut. Und wie steht es mit Skonto?

Mr Robertson—*(Say that as previously you will grant 2% discount on payment within 30 days or 3% for immediate cash payment.)*

Frau Pfister —Fein. Damit bin ich völlig einverstanden. Jetzt kommen wir zu den Preisen. Wie ist Ihr neuer Tarif?

Mr Robertson—*(Explain that the price is £30 per case and this is ex-works. She will doubtless appreciate this leaves hardly any room for manoeuvre.)*

Frau Pfister —Na klar. Also dann sehe ich keine weiteren Probleme. Hoffen wir auf viel Erfolg für unser Geschäft.

Mr Robertson—*(Agree and take your leave.)*

Frau Pfister —Ja, auf Wiedersehen, Herr Robertson und alles Gute.

Aufgaben

Aufgabe 1

Your company wishes to break new ground with a direct marketing campaign, engaging a German professional direct marketing company to sell your product(s). Write an introductory letter to the

Arbeitskreis 'Gut beraten – zu Hause gekauft'
Gernerstr. 56
D-8000 München 14

to this effect making the following points clear:

—Introduce your company and its product/product range

—Point out your preferred method would be mailshots and press advertising

—Enquire whether telesales would be advantageous

—Request draft campaign schedule, details of mailshot address service and list of recommended publications for press advertisements.

Aufgabe 2
You have received the following letter:

Diamanten-Touristik GmbH
Auf Proffen 26

5407 Boppard-am-Rhein

Eurotours plc
195 Arterial Road
Croydon
Surrey CR6 4PB

Boppard, den 18. Januar

Sehr geehrte Damen und Herren,

hiermit übersenden wir Ihnen unseren neuesten Prospekt für die kommende Saison. Besonders möchten wir Sie auf die veränderte Rhein-Rundreise aufmerksam machen. Diese bietet Luxusunterkünfte in fünf neu ausgestatteten Hotels, die der Rheinhausenkette angehören. Zum ersten Mal stellen wir unseren Gästen jetzt zweisprachige Reiseleiter zur Verfügung.

Wir sind überzeugt, daß wir hiermit ein außerordentliches Programm entwickelt haben. Setzen Sie sich doch bitte bald mit uns in Verbindung, damit wir Ihnen alle Einzelheiten unseres Angebots mitteilen können.

Mit freundlichen Grüßen,

Reply as follows:

Thank for communication – express interest in the Rhine tour and ask for further details, in particular:

—tariffs and group discount rate (e.g. special senior citizen rates)

—travel arrangements and whether package can be offered from Channel ports (e.g. Ostend and Hook of Holland)

—terms of payment

—whether they can offer an English version of their new brochure

Aufgabe 3
Having just received a mailshot from a German trade association, you hope to have stocks of candles and decorations in your company's retail department stores in time for Christmas. Send a telex to Leptius Wohndesign making enquiries regarding:

—range of candles, table decorations, etc.

—quantity discount

—terms of payment

—earliest delivery dates (by air freight)

—sales literature in English

Aufgabe 4
Translate the following reply:

```
111494 SELCOR
573202 LEPTCO

DANKEN VIELMALS FUER ANFRAGE.  SENDEN HEUTE PER KURIERDIENST VOLL-
STAENDIGE DOKUMENTATION.  KURZ ZU DEN VON IHNEN ERWAEHNTEN PUNKTEN:
- BIETEN KOMPLETTES SORTIMENT VON ADVENTS- UND WEIHNACHTSKERZEN,
  KRAENZEN, WEIHNACHTSKUGELN UND VERSCHIEDENSTE PAPIERDEKORATION
- MENGENRABATT AUF ANFRAGE
- GUENSTIGE ZAHLUNGSBEDINGUNGEN
- LIEFERUNG PER LUFTFRACHT NACH LONDON, MANCHESTER UND GLASGOW:
  INNERHALB VON DREI TAGEN NACH EINGANG DES AUFTRAGES
- BROSCHUEREN AUF ENGLISCH AB SOFORT VORRAETIG
```

Telefongespräch

Frau Winter (Agentur Kiefer) ruft Frau Dean (Lea & Perrins) an.

Frau Winter—(wählt eine Telefonnummer)

Mrs Dean —Hello.

Frau Winter—Guten Tag. Ist dort Lea & Perrins in England?

Mrs Dean —Ja, hier bei Lea & Perrins und Frau Dean am Apparat.

Frau Winter—Hier spricht Frau Winter. Wie geht es Ihnen, Frau Dean?

Mrs Dean —Gut, vielen Dank. Was gibt es Neues bei Ihnen?

Frau Winter—Wir haben immer noch die Probleme mit den Etiketten. Haben Sie unser Telex bekommen, in dem wir Ihnen den Sachverhalt erklärt haben?

Mrs Dean —Ja, Herr Croft hat sich um die Sache gekümmert. Aber wir haben das Antwortschreiben noch nicht abgeschickt.

Frau Winter—Das Problem war, daß man in der Bundesrepublik auf dem Etikett der Flaschen alle Zutaten auflisten muß.

Mrs Dean —Ja, wir haben eine Liste zusammengestellt und das meiste schon übersetzt. Diese schicke ich Ihnen. Könnten Sie sie bitte überprüfen?

Frau Winter—Wir haben auch die Manschetten mit den Rezepten von Ihnen erhalten. Die Veränderungen werden wir Ihnen zuschicken.

Mrs Dean —Gibt es sonst noch etwas Neues, Frau Winter?

Frau Winter—Ich hätte es fast vergessen. Wir müssen auch das Mindesthaltbarkeitsdatum mit auf das Etikett drucken. Dazu sind wir gesetzlich verpflichtet. Könnten Sie bitte diese Information weitergeben und so schnell wie möglich dazu Stellung nehmen?

Mrs Dean —Ja, das werde ich in die Wege leiten. Wir sind jetzt auch damit einverstanden, daß die Beschriftung des deutschen Etiketts in der Mitte den englischen Namen der Sauce aufweisen soll und unten drunter den entsprechenden deutschen.

Frau Winter—Das habe ich notiert. Sollten wir Andrucke fertig haben, werde ich sie Ihnen faxen. Bis bald, Frau Dean, und grüßen Sie Herrn Croft.

Mrs Dean —Das werd' ich machen. Auf Wiederhören, Frau Winter.

Vokabular

der Sachverhalt *the matter, 'what it's about'*
sich kümmern um (+Acc.) *to deal with, take care of*
das Antwortschreiben (–) *(written) reply*
zusammenstellen *to compile, draw up*
die Manschette (-n) *(bottle) collar, sleeve*

das Mindesthaltbarkeitsdatum *sell-by-date*
gesetzlich verpflichtet *legally bound*
Stellung nehmen zu (+Dat.) *to comment on, give an answer*
etwas in die Wege leiten *to get something underway, initiate*
aufweisen *to show, indicate*
entsprechend *corresponding*
der Andruck (-e) *proof, proof print*

Redewendungen
(Frau Dean) am Apparat *(Mrs Dean) speaking*
was gibt es Neues? *what news is there?*
ich hätte es fast vergessen *I almost forgot (to tell you)*
unten drunter *(down) below, at the bottom*
bis bald *cheerio (for now)*

***1:* Bitte beantworten Sie folgende Fragen:**

1 Um was ging es in dem Telex der Agentur Kiefer?

2 Was war das eigentliche Problem mit den Etiketten?

3 Was soll die Agentur Kiefer überprüfen?

4 Wozu ist man in der Bundesrepublik gesetzlich verpflichtet?

5 Womit ist Lea & Perrins einverstanden?

6 Was wird die Agentur Kiefer womöglich faxen?

***2:* Wie könnte man folgendes auf Deutsch sagen?**

1 Who's speaking, please?

2 There's nothing of interest in the report.

3 Could you please deal with the problem?

4 I'm afraid we haven't translated that yet.

5 We must check the list as soon as possible.

6 Can you please get the programme underway?

7 Have you made a note of that?

8 I suggest you fax us your reply.

Übungen

A **Fill the gaps with the appropriate prepositions:**

Beispiel
Der Umsatz stieg ____ vorigen Jahr ____ 17% ____ 27 Mill. DM.
– Der Umsatz stieg im vorigen Jahr um 17% auf 27 Mill. DM.

—Der Zinssatz wird wahrscheinlich ____ nächsten Monat ____ 6,5% ____ 7% erhöht.

—Ein Wechselkurs ____ über 2,80 DM bedroht die Exportfähigkeit unserer Wirtschaft.

—Der Aufschlag ____ die Nettopreise beträgt neun ____ Hundert.

—____ schwankenden Importpreisen ist es schwer, den Verkaufspreis festzusetzen.

—____ die Erhöhung der Transportgebühren ist das Produkt nicht mehr so wettbewerbsfähig.

—____ diesen Verkaufszahlen hat der Handelsvertreter Probleme ____ dem Verkaufsleiter.

—Einen Gewinn machen sie erst ____ 8% Provision.

—Sie bekommen einen Rabatt ____ 3% bei einem Jahresumsatz ____ 50.000,– DM.

—____ der Provision ____ 11% bin ich ganz zufrieden.

—Die Aktie ist heute früh ____ einem Wert ____ 276,83 DM stehengeblieben.

—Gestern bekamen wir die Rechnung ____ 64.382,– DM.

—Was kostet die Einheit ___ Hamburger Hafen?

—Ist der Preis ___ oder ___ Mehrwertsteuer?

—___ Unterhaltungselektronik gehören Fernsehapparate, Stereoanlagen, Videogeräte, Heimcomputer, usw.

B **Fill the gaps with an appropriate adverb:**

Beispiel
Die Fracht wird _____ über den Hamburger Hafen ausgeliefert.
– Die Fracht wird normalerweise über den Hamburger Hafen ausgeliefert.

—Die Lebenshaltungskosten sind im Mai _____ um 1,2 Prozentpunkte gestiegen. So groß war der Anstieg noch _____.

—_____ beträgt die Veränderung pro Monat maximal 0,8 Prozentpunkte.

—Reklamationen kommen _____ bei unseren Qualitätsgütern vor.

—Die Marktanteile der KEFA-Gruppe sind _____ geschrumpft.

—Der Ankauf von Ersatzteilen ist _____ schwieriger geworden.

—Die Suche nach einem Agenten im Süden der Bundesrepublik war _____ erfolgreich.

—Der Preis im Verkauf liegt _____ zwischen DM 1,95 und DM 1,99.

—Der Dienstleistungssektor wird in den nächsten Jahren _____ anwachsen.

Rollenspiel

You play the part of Mr Billingsley who rings his German distributor.

Mr Billingsley —*(Ask to speak to Herr Triebensee.)*

Vermittlung —Augenblick, bitte. Ich verbinde Sie.

Mr Billingsley —*(Greet him. Ask him if there is any news.)*

Herr Triebensee—Leider ja. Das ständige Problem mit den Zollabfertigungsdokumenten ist immer noch nicht erledigt. Es wird allmählich sehr ärgerlich.

Mr Billingsley —*(Say you're very sorry. Explain that you did 'phone the customs office in Dover straightaway. Ask if he received your telex explaining the matter.)*

Herr Triebensee—Ja, natürlich. Vielen Dank für Ihre Hilfe in der Angelegenheit. Ihre Vermittlung hat aber anscheinend nicht viel geholfen.

Mr Billingsley —*(Tell him that's very disappointing, of course, and assure him that you will take new steps to solve the problem.)*

Herr Triebensee—Ja, das wäre jetzt notwendig. Wir können das wirklich so nicht mehr akzeptieren.

Mr Billingsley —*(Say he will definitely hear again from you very shortly.)*

Herr Triebensee—Also, gut. Bis bald dann.

Mr Billingsley —*(Say good-bye for now.)*

Aufgaben

Aufgabe 1

Following initial market research, you wish to contact prospective agents for the various 'Länder' (Federal States).

Compile a letter to the

Zentralvereinigung Deutscher Handelsvertreter
Geleniusstr. 1
D-5000 Köln 41

introducing your company, its product(s) and suggested plan for test market(s) and product launch, identifying the regions you wish to target, the kind of retail outlets envisaged and the overall operational timescales desired.

Aufgabe 2

As marketing manager for Luxhotel G.B. plc, it is your brief to expand European business and so you devise a mailshot to be sent to leading German tour operators covering the following points:

—three new hotels recently opened in the London area, all with easy access by train/underground/taxi to central tourist spots

—all hotels feature full central heating and air conditioning, all with restaurant and various snack bars, lounges, etc.

—all have conference and banqueting facilities (special brochure on request)

—all rooms have radio and TV, mini-bar, coffee and tea making facilities

—all offer highest standards of comfort

—all have German-speaking staff on hand

—special excursions can be arranged

—theatre and concert tickets can be obtained on request

—can offer full travel package with B.A. and hire coach

—competitive tariffs with group discounts (check with each hotel)

Aufgabe 3
Having seen the 'Maggi' advertisement, your German agent is rather concerned at the possible competition. Write him a letter of reassurance along the following lines:

—there is no direct competition as the products differ considerably

—L&P's strength lies in the original secret recipe for Worcester Sauce

—the brand name for sauces is very important

—the company enjoys worldwide prestige and a very high reputation

Aufgabe 4
The chairman of the High Wycombe-Kelkheim twinning committee has requested your assistance as a supporting local businessman. He would like the letter on page 74 translated into English:

Helmut Lahnstein
Altes Rathaus

6081 Kelkheim

Peter Rippon
Administrative Director
The Town Hall
High Wycombe
HP11 2SW

Kelkheim, den 7. Februar

Sehr geehrter Herr Rippon,

es hat mich sehr gefreut, Sie neulich während Ihres Aufenthalts hier in Kelkheim kennenzulernen.

Ich schreibe jetzt in Hinsicht auf den bevorstehenden Besuch der Delegation aus High Wycombe zur 900-Jahres-Feier hier bei uns. Wir hätten gerne genaue Einzelheiten, damit wir in der Lage sind, alle nötigen Vorbereitungen treffen zu können, d.h. Anzahl der beteiligten Personen, Art der Unterkunft, eventuelle Transportmittel, u.s.w.

Ich darf im Namen der Stadt Kelkheim sagen, daß wir uns alle auf diesen Besuch sehr freuen und wünschen im voraus eine gute Reise.

Mit freundlichen Grüßen

Helmut Lahnstein

The chairman requests you to reply as follows:

—thank warmly for letter – nice to hear from Kelkheim again

—groups travelling over comprise: local youth band (24 members), youth football team and supporters (group of 20), bellringers group (12). The total party will consist of 72 participants.

—accommodation ideally as follows: 55 in hotels/guest-houses (41 single rooms, 7 double/twin rooms), 17 with private families (6 of whom are German speakers).

—request coach for 42 from Frankfurt/Main Airport. The remainder will be travelling by car.

—ask if sightseeing tour can be arranged for entire party by coach, ideally with English-speaking guide.

Auswertungsgespräch zum Testmarkt

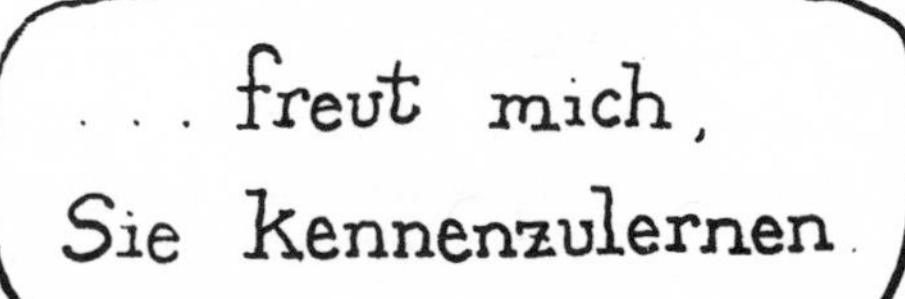

Sechs Monate später

Herr Kiefer —Hallo, Herr Croft. Darf ich Ihnen Frau Kreiffenberg vorstellen? Sie hat für uns das Marktforschungsprojekt durchgeführt. Aber darüber kann sie ja gleich selber berichten.

Mr Croft —Guten Tag, Frau Kreiffenberg.

Frau Kreiffenberg—Guten Tag, Herr Croft. Ich freue mich, Sie kennenzulernen.

Herr Kiefer —Lassen Sie mich einmal rekapitulieren, was in den letzten sechs Monaten passiert ist. Wir haben drei verschiedene, neue Gourmetsaucen im Testmarkt Hamburg lanciert. Wir haben Lieferschwierigkeiten gehabt, Probleme mit den Etiketten und einige unserer Abnehmer haben unseren Test nicht vollauf unterstützt. Die Artikel wurden nicht so aufgestellt, daß sie die Aufmerksamkeit der Kunden auf sich lenkten. Aus den daraus resultierenden unterschiedlichen Absatzzahlen konnte man kein einheitliches Bild gewinnen.

Mr Croft —Wieviel Zeit war vergangen, als Sie feststellten, daß die Fortsetzung des Testes gestoppt werden müßte?

Herr Kiefer —Ziemlich genau drei Monate. Die finanziellen Investitionen waren nicht mehr tragbar und wir entschlossen uns, Sie zu informieren und Ihnen die Einstellung des Verkaufs vorzuschlagen.

Mr Croft —Wir schlugen Ihnen dann vor, den Verkauf nicht abzubrechen, sondern nur einzuschränken. Die Entscheidung, auf die wir uns dann einigten, war, eine Marktforschung in Auftrag zu geben und parallel, sozusagen auf kleiner Flamme, den Verkauf weiterlaufen zu lassen.

Herr Kiefer —Genau . . . Ich möchte jetzt Frau Kreiffenberg darum bitten, uns die Ergebnisse ihrer Untersuchung darzustellen und uns Vorschläge für das weitere Vorgehen zu machen.

Vokabular

die Auswertung (-en) *evaluation, analysis*
durchführen *to carry out*
berichten über (+Acc.) *to report on*
der Abnehmer (–) *customer*
vollauf *entirely*
aufstellen *to display (goods)*
(die) Aufmerksamkeit lenken auf (+Acc.) *to draw (the) attention to*
unterschiedlich *variable*
die Absatzzahlen *sales figures*
einheitlich *uniform, homogeneous*
gewinnen aus (+Dat.) *to deduce, gather from*

die Fortsetzung (-en) *continuation*
tragbar *acceptable, reasonable*
sich entschließen *to decide*
die Einstellung (-en) *suspension, discontinuation*
vorschlagen *to suggest*
abbrechen *to stop, cut short*
einschränken *to limit*
sich einigen auf (+Acc.) *to agree on*
weiterlaufen lassen *to allow to continue*
das Ergebnis (-se) *result*
das weitere Vorgehen *further action, 'how to carry on'*

Redewendungen
ich freue mich, Sie kennenzulernen *(I'm) delighted to meet you*
so, daß . . . *in such a way that . . .*
müßte/sollte gestoppt werden *it should/ought to be stopped*
auf kleiner Flamme *low-key, on a reduced scale*

***1:* Bitte beantworten Sie folgende Fragen:**

1 Warum treffen sich Herr Croft, Frau Kreiffenberg und Herr Kiefer in Hamburg?

2 Wer ist Frau Kreiffenberg?

3 Aus welchen Gründen war die Testmarktlancierung kein so großer Erfolg?

4 Wieso waren die Absatzzahlen nicht zufriedenstellend?

5 Warum will Herr Kiefer die Einstellung des Verkaufs vorschlagen?

6 Welchen Gegenvorschlag macht Herr Croft daraufhin?

7 Worauf haben sich Herr Kiefer und Herr Croft schließlich geeinigt?

8 Um was bittet Herr Kiefer Frau Kreiffenberg?

***2:* Wie könnte man folgendes auf Deutsch sagen?**

1 I would like to introduce Mr White to you.

2 We've already reported on that.

3 Just let me repeat what has been happening since our last meeting.

4 The products were not packaged in such a way as to draw our attention to them.

5 When did you realise that the prices ought to be raised?

6 I decided to let you know as soon as possible.

7 May I please ask you to give me the results of the marketing research now.

Übungen

A Use the comparative (a) or superlative (b)

Beispiel

(a) Die Ausfuhr ist ______ (groß) als die Einfuhr.
– Die Ausfuhr ist größer als die Einfuhr.

(b) Die Preise für Erdbeeren sind im Winter immer ______ (hoch).
– Die Preise für Erdbeeren sind im Winter immer am höchsten.

—Die ______ (wichtig) Exportwaren der Bundesrepublik Deutschland sind Kraftfahrzeuge, Maschinen aller Art, chemische und elektrotechnische Erzeugnisse.

—Die ______ (gut) Werbebroschüren werden von der Firma Schlüter hergestellt.

—Der ______ (klein) Mikrochip ist ______ (teuer) als ein Dutzend Personalcomputer.

—Die Börse berichtet vom ______ (hoch) Tageskurs seit langem.

—Das waren die ______ (lang) Verhandlungen, die ich je geführt habe.

—Das Marktsegment war ______ (begrenzt) als im letzten Quartal.

—Der Wettbewerb in unserer Branche ist ______ (hart) geworden.

B What is the opposite or the complement?

Beispiel

der Gewinn — der Verlust

—die Ausfuhr ______
—der Überschuß ______
—der Einkaufspreis ______
—abladen ______
—die Bestätigung ______

—schicken ______
—der Importeur ______
—der Käufer ______
—der Großhandel ______
—der Boom ______

C Combine the sentences, using the conjunction given in brackets.

Beispiel

Die Autoradiobranche ist sehr ausfuhrorientiert. Der Markt ist hart umkämpft. (obwohl)
– Die Autoradiobranche ist sehr ausfuhrorientiert, obwohl der Markt hart umkämpft ist.

—Die Firma will in den deutschen Markt gehen. Sie hat eine neue Produktpalette entwickelt. (nachdem)

—Der Kundendienst soll noch verstärkt werden. Genügend Kapital ist vorhanden. (wenn)

—Die Verpackung muß verstärkt werden. Der Inhalt ist beschädigt worden. (weil)

—Die Auswahl auf der Messe ist groß. Immer mehr Länder nehmen daran teil. (da)

—Der Chef wußte bescheid. Der Umsatz war angestiegen. (daß)

—Das Telex enthielt die Details. Wir können die Maschine in Betrieb nehmen. (wie)

D **Write (and read) the following in German:**

Beispiel
3,– DM Drei Mark (drei D-Mark)

1 27 DM
2 0,20 DM
3 –,75 DM
4 15.780,– DM
5 DM 365.000,75
6 89.420 DM
7 84,66 DM
8 3.167.427.– DM
9 12.600.000.000
10 1,5 Mill Pf
11 420 Stück
12 ca. 4.500 Einheiten
13 24,35%
14 01.01.1993
15 Köln, den 17.08.1996
16 1/2
17 2/3
18 7/1000
19 56 + 17 = 73
20 150 : 5 = 30
21 4 × 12 = 48
22 12,4 – 8,6 = 3,8
23 etc
24 u.s.w.
25 GmbH
26 AG
27 OHG
28 KG
29 BRD
30 DDR
31 d.h.
32 km
33 LKW
34 PKW
35 Mill.
36 z.Z.
37 Abt.
38 Bhf.
39 i.A.
40 bzw.
41 dt.
42 Tel.
43 u.a.
44 b.w.
45 allg.
46 DIN
47 FS
48 Gebr.
49 Kto.
50 Nr.
51 p.a.
52 qm
53 s.o.
54 v.H.
55 z.H.
56 z.T.
57 MWST
58 i.V.

Rollenspiel

The Society of English Vintners has recently commissioned market research to be carried out by an agency in Cologne. You now have a meeting with the head of the agency to analyse the results.

Frau Blum—Ah, Herr Lewis – kommen Sie bitte herein. Mein Name ist Andrea Blum.

Mr Lewis —*(Greet her and say you are delighted to meet her.)*

Frau Blum—Wollen Sie mir bitte folgen. Ich habe unseren Besprechungsraum freigehalten – ich kann Ihnen dort eine kurze Präsentation geben.

Mr Lewis —*(Say that will be most interesting. Hope she has good news for you concerning the market research.)*

Frau Blum—Ich glaube, Sie werden im großen und ganzen sehr zufrieden sein. Die Ergebnisse zeigen, daß die Befragten von der hohen und gleichmäßigen Qualität der englischen Weine beeindruckt waren. Vor allem waren Sie vom feinen trockenen Geschmack angenehm überrascht.

Mr Lewis —*(Say that such results are very pleasing. And that of course it helps a lot that the wines suit German tastes, being mainly German varieties. Ask whether she feels the results are trustworthy.)*

Frau Blum—Die Hauptumfrage wurde in Spitzenrestaurants der Kölner Innenstadt unternommen, und sogar Kochexperten fanden sich unter den Befragten.

Mr Lewis —*(Say that in that case you will doubtless consider a full marketing and sales campaign. Say you're eager to see the presentation.)*

Frau Blum—Das glaube ich Ihnen gern. Lassen Sie mich anfangen. Bitte, Herr Lewis, hier geht's entlang. . . .

Aufgaben

Aufgabe 1

Send an introductory letter to Dieter Busch, Spirituosen-Handelsvertretung, Prinzenstr. 77, 4200 Oberhausen, inviting him to consider importing the wines of the English Vintners Association. Outline your product range, emphasising its exclusivity value (remember the Federal Republic of Germany is already a major wine producing country) and its appeal to the upper end of the drinks market. Touch briefly on prices, terms (volume discount, etc.) and quantities envisaged, given that supplies are limited.

Aufgabe 2
Compile a programme in German to send to Dieter Busch who has asked you to organise a tour of English vineyards for himself and four of his agency's clients, each of whom is the wines and spirits buyer for a major retail chain. The programme should include details of the tour, dates and timings, the accommodation arrangements and the gala dinner, featuring all the wines sampled, which will round off the tour.

Aufgabe 3
Translate into English the telex you have received after the tour:

BERATUNGEN HIER NACH RUECKKEHR BEENDET. ALLE VIER EINZELHANDELSKETTEN MOECHTEN VERTRAG ABSCHLIESSEN. DEMENTSPRECHEND BITTEN WIR UM SOFORTIGE VORBEREITUNG DER RECHTLICHEN DOKUMENTATION. TREFFE MEINERSEITS ALLE NOETIGEN VORKEHRUNGEN. BITTEN AUCH UM KATALOGENTWURF UND WERBEMATERIAL. IM VORAUS DANK. DIETER BUSCH.

Fortsetzung des Auswertungsgesprächs

Frau Kreiffenberg—Ja, meine Herren, ich möchte Ihnen jetzt die Ergebnisse der Marktforschung vortragen, die mein Institut für Sie gemacht hat.

Herr Kiefer —Könnten Sie uns bitte präzise die Daten angeben, wann Sie mit der Untersuchung begonnen haben und wann sie beendet wurde.

Frau Kreiffenberg—Es war März im vergangenen Jahr, als wir den Auftrag übernommen haben, und wir haben genau 3 Monate für das Projekt benötigt.
Wir hatten also drei Gourmet-Saucen von Lea & Perrins, deren Marktchancen wir untersuchen sollten. Im Mittelpunkt unserer Untersuchungen stand ein Geschmackstest, den wir mit verschiedenen Gerichten und unterschiedlichen Personen durchgeführt haben.

Mr Croft —Haben Sie es in verschiedenen Bundesländern durchgeführt oder nur hier in Hamburg?

Frau Kreiffenberg—Natürlich ist es wichtig, den Geschmack in unterschiedlichen Regionen der Bundesrepublik zu untersuchen. Aus diesem Grunde haben wir Tests im Norden, im Süden, wie auch im Westen der Bundesrepublik gemacht. Dies hat uns repräsentative Ergebnisse geliefert.

Herr Kiefer —Die Begrenzung auf diese Gegenden war auch eine finanzielle Erwägung des Auftraggebers, d.h. von Ihnen, Herr Croft.

Mr Croft —Mehr hatte ich für dieses Projekt nicht flüssig.

Frau Kreiffenberg—Das wichtigste Ergebnis ist, daß für zwei der drei Saucen keine so große Nachfrage in der Bundesrepublik besteht. Konkret bedeutet das, daß die Saucen 'Würzige Pfeffersauce' und 'Zitrone mit Kräutern' keine oder nur geringe Marktchancen haben. Besonders 'Würzige Pfeffersauce' ist von der Zusammensetzung her sehr schwer zu kategorisieren. Hausfrauen wissen nicht genau, wozu sie diese Sauce benutzen sollen.

Mr Croft —Aber warum glauben Sie, wird die 'Zitrone mit Kräutern' nicht ankommen?

Herr Kiefer —Weil so wenig Fisch in Deutschland gegessen wird?

Frau Kreiffenberg—Nein, Herr Kiefer. Der Verbraucher benutzt reinen Zitronensaft und denkt sich, daß er auch selbst seine Kräuter hinzufügen kann. Der ausschlaggebende Grund für den prognostizierten Erfolg der 'Chilli und Knoblauch'-Sauce ist für uns, daß erstens die Sauce nicht leicht imitierbar ist und zweitens die Sauce vergleichbar ist mit der originalen Worcestersauce. Beide sind geheimnisvoll in der Zusammensetzung und leicht orientalisch im Geschmack.

Mr Croft —Inwieweit können Sie uns den Erfolg denn garantieren, Frau Kreiffenberg?

Frau Kreiffenberg—Die Ergebnisse sind sehr stichhaltig und in unserem Bericht einwandfrei belegt. Man muß natürlich im kommenden Jahr den Absatz der 'Chilli und Knoblauch'-Sauce sehr genau beobachten. Die Fehler, die bei der Analyse des Testmarktes Hamburg unterlaufen sind, dürfen nicht wiederholt werden.

Herr Kiefer —Was wurde denn dort falsch gemacht?

Frau Kreiffenberg—Nun, wenn ein neues Produkt auf dem Markt ist, kann es die Situation geben, daß sehr viele Personen es in der ersten Phase kaufen, weil sie neugierig auf das Produkt sind. Bei vielen dieser Kunden bleibt es aber bei diesem ersten Mal, und sie werden unser Produkt nie wieder kaufen. Besonders dann entsteht diese Gefahr, wenn man eine interessante Werbekampagne führt, oder wenn man es mit einem besonderen Einführungspreis anbietet.

Mr Croft —Das war jedoch bei unserem Test nicht der Fall.

Frau Kreiffenberg—Trotzdem gab es unserer Einschätzung nach viel primäres Interesse in einigen Delikatessenläden, jedoch in der Folge wenig Markentreue.

Herr Kiefer —Heißt das, Frau Kreiffenberg, daß wir Ihre Dienste, bzw. die Ihres Institutes auch während des ganzen nächsten Jahres in Anspruch nehmen müßten?

Frau Kreiffenberg—Wir sind der Überzeugung, daß Ihr Produkt, sogar ohne viel Werbung und Anzeigen, ein Selbstläufer sein wird. Trotzdem sollte die Nachfrage mindestens noch 6 Monate durch Stichproben beobachtet werden.

Mr Croft —Vielen Dank, Frau Kreiffenberg. Wir werden uns Ihren Bericht genau durchlesen und Ihnen dann unsere Entscheidung in bezug auf eine weitere Zusammenarbeit zukommen lassen.

Frau Kreiffenberg—Nochmals vielen Dank für Ihre Aufmerksamkeit und auf Wiederschauen, die Herren.

Mr Croft —Vielen Dank, Frau Kreiffenberg, auf Wiedersehen.

Vokabular

vortragen *to report, present*
die Untersuchung (-en) *investigation*
benötigen *to need, require*
der Mittelpunkt (-e) *centre ('heart'), focal point*
die Begrenzung *restricting, limiting*
die Erwägung (-en) *consideration*
der Auftraggeber (−) *client*
konkret *in concrete/practical terms*
die Zusammensetzung (-en) *ingredients, composition, make-up*
ankommen *to catch on, go down well, be well received*
hinzufügen *to add*
ausschlaggebend *decisive, determining, (. . . which decides the matter)*
prognostiziert *forecast (adj.)*
geheimnisvoll *secret (adj.)*
inwieweit . . . ? *to what extent . . . ?*
stichhaltig *sound (theory, etc.), solid (argument), (. . . which hold(s) good/ water)*
einwandfrei belegt *proved/substantiated beyond doubt/question*
unterlaufen *made, occurred (mistakes)*
neugierig sein auf (+Acc.) *to be curious about, to have one's curiosity aroused by*
der Einführungspreis (-e) *introductory price*
die Einschätzung (-en) *opinion, view*
in der Folge *subsequently, thereafter*
primär *initial, preliminary*
die Markentreue *brand loyalty*
in Anspruch nehmen *to call upon (services)*
der Überzeugung sein *to be convinced*
der Selbstläufer (−) *product which sells itself*
die Stichprobe (-n) *random sample/check*

Redewendung
ich habe 5.000,– DM flüssig *I have 5,000 Marks to play with (available)*

***1:* Bitte beantworten Sie folgende Fragen:**

1 Warum wurde die Marktforschung in verschiedenen Bundesländern durchgeführt?

2 Was hat die Marktforschung örtlich begrenzt?

3 Warum kam die 'Würzige Pfeffersauce' nicht an?

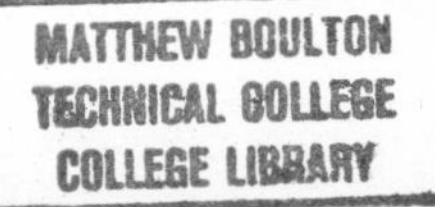

4 Aus welchen Gründen wird die 'Chilli und Knoblauch'-Sauce wahrscheinlich erfolgreich sein?

5 Welche Fehler sind bei der Analyse des Testmarktes Hamburg unterlaufen?

6 Wie wird man die Nachfrage weiterhin im Auge behalten?

***2:* Wie könnte man folgendes auf Deutsch sagen?**

1 Could you please give me the precise deadline?

2 For this reason we investigated everything in all three regions.

3 But why do you think the new product won't catch on?

4 We don't know to what extent the results are decisive.

5 Everything must of course be watched very closely in the coming few weeks.

6 That shouldn't be the case, however, with this particular test market.

7 Consequently there was less brand loyalty than expected.

8 I'm convinced that the investigation will be a great success.

9 You will be hearing from us very soon with regard to further collaboration.

Übungen

***A* Rewrite these sentences in the past using 'haben'.**

Beispiel
Wir führen die Marktanalyse lokal durch.
– Wir haben die Marktanalyse lokal durchgeführt.

—Diese Aufgabe übernehmen wir nicht gerne.

—Natürlich müssen wir die Marktlage genauestens untersuchen.

—Sie liefern uns aber Modelle in der falschen Größe.

—Die deutsche Version des Katalogs können wir leider nicht benutzen.

—Ich füge alle Einzelheiten über die Untersuchungsergebnisse bei.

—Dennoch kann er mir den Erfolg nicht garantieren.

—Er bietet uns einen Sonderrabatt von 3% an.

—Unsere Dienste nehmen sie nicht mehr in Anspruch.

—Ihren Bericht lese ich mit viel Vergnügen.

—Wir lassen Ihnen unsere Entscheidung per Telex zukommen.

B **Rewrite these sentences in the passive, starting the relevant part of each sentence with the words underlined.**

Beispiel
Man beendete die Studie vor sechs Monaten.
– Die Studie wurde vor sechs Monaten beendet.

—Man führt den Jahresabschlußbericht so schnell wie möglich durch.

—Wir versichern Ihnen, daß man die Gründe für die Nichtzahlung vollständig untersucht hat.

—Das Scheitern der Kampagne ist darauf zurückzuführen, daß man in letzter Zeit weniger Fleischgerichte aß.

—Es besteht die Gefahr, daß man unser neues Produkt imitieren wird.

—Man kann den Verkauf von englischen Gourmet-Produkten nicht unbedingt garantieren.

Rollenspiel

A market research agency has completed work in Germany on your company's behalf and you now meet to discuss the results.

Herr Lutz —Also, Frau Daniels, ich kann Ihnen jetzt die Ergebnisse unserer Marktforschung vortragen.

Ms Daniels—*(Say fine and that you are eager to learn what conclusions are contained in the report.)*

Herr Lutz —Natürlich. Wir haben schließlich 6 Monate für unsere Untersuchung benötigt – etwas länger als geplant.

Ms Daniels—*(Ask whether they carried out the research in various regions in both north and south Germany or whether they limited it to the Frankfurt area.)*

Herr Lutz —Wir haben den Markt weitflächig abgedeckt. In Nürnberg haben wir eine Partneragentur – mit der haben wir zusammengearbeitet. Die Ergebnisse aus dem Süden und dem Norden sind dann hier bei uns zusammengeflossen.

Ms Daniels—*(Express your delight, especially as you are unfortunately somewhat restricted by financial considerations. Say you hope this didn't create any major difficulties.)*

Herr Lutz —Natürlich wäre uns ein etwas großzügigeres Budget lieber gewesen, aber wir wissen, daß Sie scharf kalkulieren müssen.

Ms Daniels—*(Agree . . . nevertheless you intend to call on their services in the coming year for making random checks on demand and you hope they will welcome this further collaboration.)*

Herr Lutz —Sicherlich, Frau Daniels. Wir übernehmen immer gerne Aufträge von Ihnen.

Aufgaben

Aufgabe 1

Lea & Perrins want you to carry out market research interviews in Düsseldorf to assess the popularity and knowledge of their products and of their competitors. Translate the English questionnaire opposite into German.

Aufgabe 2

You accompany the Managing Director of your company, makers of luxury jams and marmalades, on a business trip to have discussions with your potential German importers, Topfood-Import-und Exportgesellschaft and are required to act as two-way interpreter.

Mr Westlake—I understand you are also interested in our breakfast marmalade.

Herr Tefler —Ja, das stimmt. Ich bin der Meinung, daß das ein großer Erfolg werden kann.

Mr Westlake—We have already carried out some market research and would like to select a possible test market. Do you have any ideas?

Herr Tefler —Nun, am besten wäre wohl ein großes Ballungsgebiet, wie z.B. eine der Städte im Ruhrgebiet – Dortmund oder Essen vielleicht?

Mr Westlake—Fine. And what about the packaging? We would like to use our traditional china jars (Porzellantöpfchen).

Herr Tefler —Ja, das ist kein Problem. Wir müssen jedoch noch über die Etikettierung reden, da die Vorschriften hier in der Bundesrepublik ziemlich streng sind.

Mr Westlake—Yes, of course. Perhaps we can discuss that at our next meeting in London. We have some new labels, but they are not quite ready yet.

Herr Tefler —In Ordnung. Ich schlage vor, daß wir jetzt essen gehen. Sie haben sicher Hunger nach dem langen Morgen.

Questionnaire

I am carrying out market research for an English company who make culinary products. May I request you to answer a few questions? It will only take a few minutes.

1. Have you heard of Worcester Sauce?

   ... Yes ... No (go to Q.6)

2. Have you ever tasted it?

   ... Yes ... No

3. Do you use it yourself at home?

   ... Yes ... No (go to Q.5)

4. How do you use the sauce?

   ... As a drinks mixer ... In cooking ... Other(please specify)

5. Have you ever encountered the sauce when out?

   ... As a drinks mixer ... In a restaurant ... Available in shops

6. Do you use (piquant) sauces/seasonings of any kind?

   ... Yes ... No

7. What is your general opinion of culinary products from Britain?

   ... Excellent ... Average ... Poor ... Unacceptable

Consumer Profile

8. Sex: ... male ... female

   Are you: ... under 25 ... between 25 and 40

   ... between 40 and 55 ... over 55

   What is your occupation? ....

   Do you earn: ... less than DM 40.000

   ... between DM 40.000 and DM 50.000

   ... between DM 50.000 and DM 60.000

   ... more than DM 60.000

   Where do you live? ....

Thank you for your cooperation.

Vertrag in der Tasche

Ein Jahr später trifft sich Herr Croft mit Herrn Kiefer und seiner Mitarbeiterin Frau Mielenhausen auf der ANUGA-Messe 'Weltmarkt für Ernährung' in Köln.

Mr Croft —*(geht auf den Stand der Agentur Kiefer zu)*

Herr Kiefer —Ach, da kommt ja Herr Croft aus England. . . . Guten Tag, Herr Croft. Wie geht es Ihnen?

Mr Croft —Danke, gut. Ich bin erst heute morgen in Köln angekommen und jetzt geradewegs zu Ihnen gekommen.

Herr Kiefer —Darf ich Ihnen meine Mitarbeiterin, Frau Mielenhausen, vorstellen? Frau Mielenhausen, das ist Herr Croft.

Mr Croft —Freut mich, Sie kennenzulernen, Frau Mielenhausen.

Frau Mielenhausen—Guten Tag, Herr Croft. Wir kennen uns ja bislang nur telefonisch.

Mr Croft —Wie läuft es denn bisher auf der Messe?

Herr Kiefer —Sehr, sehr gut. Sehen Sie, hier ist unser Stand. Und hier sind Ihre Produkte plaziert. Ihrem Wunsch entsprechend haben wir Ihre Plakate und Poster als Display benutzt.

Frau Mielenhausen—Außerdem bieten wir zu bestimmten Zeiten entweder eine Bloody Mary an oder Königin Pastetchen. Darüber kennen die meisten Einkäufer die Worcester-Sauce. Und die Exklusivität dieser Proben gibt dem Produkt die richtige Marktstellung, als Nr. 1 der Gourmet-Saucen.

Mr Croft —Und wie präsentieren Sie die neue 'Chilli und Knoblauch'-Sauce?

Frau Mielenhausen—Da haben wir uns bei den Proben am Stand für die Quarksoße entschieden. Das Rezept ist auf der Manschette der Gourmet-Sauce abgedruckt.

Herr Kiefer —Das Interesse ist schon phänomenal. Qualitätsprodukte sind insbesondere hier auf dem deutschen Markt nicht durch Nachahmungen zu verdrängen. Sie wissen, daß in jedem Café in der Bundesrepublik zu Königin-Pastetchen nur die originale Worcester-Sauce gereicht wird. Und die Konsumenten merken sich das.

Mr Croft —Aber wie sieht es denn mit dem Geschäftlichen aus? Hat sich die 'Chilli und Knoblauch'-Sauce durchgesetzt?

Herr Kiefer —Ohne Frage. Das letzte Jahr hat gezeigt, daß wir in eine Marktlücke gestoßen sind.

Mr Croft —Wir haben ja bisher den Markt und Ihre Kontakte noch nicht völlig ausgeschöpft. Wie wird es denn in der Zukunft aussehen? Können wir denn den Absatz nicht erheblich steigern?

Herr Kiefer —Nach diesem Erfolg müssen nun alle meine Kunden uns größeren Platz auf ihren Regalen einräumen. Ich kann Ihnen für das kommende Jahr erheblich höhere Bestellungen versprechen. Aber es soll nicht nur bei Versprechungen bleiben. Ich habe Ihnen unseren nächsten Auftrag gleich mitgebracht.

Frau Mielenhausen—Hier sind die Unterlagen, Herr Croft.

Mr Croft —Dann können wir auch den Vertrag unterzeichnen, der Sie als Alleinvertreter bestimmt.

Herr Kiefer —Ich danke Ihnen. Darf ich Ihnen beiden eine Bloody Mary anbieten und lassen Sie uns damit auf diesen Abschluß anstoßen.

Mr Croft —Gute Idee. Damit, meine ich, ist der Vertrag in der Tasche.

Frau Mielenhausen—Sehr zum Wohl, die Herren!

Herr Kiefer —Prost und auf gute Zusammenarbeit!

Mr Croft —Auf Ihr Wohl!

Vokabular

zugehen auf (+Acc.) *to approach, go up to*
geradewegs *straightaway, directly*
bislang/bisher *until now, up till now*
anbieten *to serve, proffer, offer*
das Königin-Pastetchen *(chicken) vol-au-vent*
die Marktstellung (-en) *market position*
die Nachahmung (-en) *imitation, fake*
verdrängen *to supplant, displace, oust*
reichen zu (+Dat.) *to serve with*
der Konsument (-en) *consumer*
sich (Dat.) merken *to take note of, notice*
das Geschäftliche *the business side*
sich durchsetzen *to 'catch on', prevail*
die Marktlücke (-n) *gap in the market*

stoßen in (+Acc.) *to 'hit upon', 'come across', discover*
ausschöpfen *to exhaust (an opportunity, etc.)*
einräumen *to give, devote, grant*
erheblich *considerably*
bleiben bei (+Dat.) *to 'stop at', go no further than*
der Abschluß (¨sse) *completion, settlement, conclusion, transaction, deal, signing*
anstoßen auf (+Acc.) *to raise glasses to, drink a toast to*
Prost! *Cheers!*
auf (gute Zusammenarbeit)! *here's to (good collaboration)!*
auf Ihr Wohl! *your good health!*

***1:* Bitte beantworten Sie folgende Fragen:**

1 Wo treffen sich Herr Kiefer und Herr Croft?

2 Seit wann ist Herr Croft in Köln?

3 Auf welche Weise kennen sich Herr Croft und Frau Mielenhausen?

4 Worüber kennen die meisten Einkäufer die Worcester-Sauce?

5 Warum hat sich die Agentur Kiefer für die Quarksoße entschieden, um die 'Chilli und Knoblauch'-Sauce vorzustellen?

6 Welcher Gefahr unterliegen Qualitätsprodukte auf dem deutschen Markt nicht?

7 Woher kennt man die Worcester-Sauce in der Bundesrepublik?

8 Was wird die Agentur Kiefer zukünftig von ihren Kunden verlangen?

***2:* Wie könnte man folgendes auf Deutsch sagen?**

1 He didn't leave until yesterday evening.

2 I'd like to introduce Mr Wheeler to you.

3 How are things looking with the advertising campaign?

4 How will matters continue after the market analysis?

5 Can you promise me precise delivery dates?

6 With the settlement it's my firm opinion that the deal is clinched.

7 Let's now drink a toast to the contract.

Übungen

A **Transfer the following sentences into the future tense.**

Beispiel
Diese Woche treffe ich meine Kollegen in Köln.
– Nächste Woche werde ich meine Kollegen in Köln treffen.

—Dieses Jahr stellen wir auf einer deutschen Handelsmesse aus.

—Diesen Mittwoch wird die letzte Lieferung abgesandt.

—Dieses Mal muß er die Nachricht bestimmt telefonisch weiterleiten.

—In diesem Zeitraum steigen die Einzelhandelspreise um ca. fünf bis zehn Prozent.

—Dieses Jahr setzen sich Qualitätsprodukte am besten durch.

B **Complete the following sentences by adding the appropriate endings:**

—D__ für d__ Beurteilung d__ Marktes erforderlich__ Unterlagen kann d__ Unternehmen entweder durch d__ Auswertung eigen__ Materials oder durch d__ Publikationen d__ amtlich__ Verbände erhalten.

—D__ Kaufmann muß genau überlegen, welch__ Käuferschichten für sein__ Produkte gewonnen werden sollen.

—D__ Massenwerbung wendet sich auch über d__ verschieden__ Massenmedien an ein__ groß__ Personenkreis, wobei ihr Vorzug d__ groß__ Breitenwirkung bei geringer__ Kosten ist.

—D__ Großhandel verkauft in groß__ Mengen an Wiederverkäufer, an Hersteller und an Einzelhändler und räumt sein__ Kunden in d__ Regel ein Ziel von 30 Tagen bis zu 3 Monaten ein.

—D__ Einzelhandel dagegen verkauft in klein__ Mengen an ein__ unbegrenzt__, vielfach wechselnd__ Kreis von Kunden, meist gegen bar.

—Aufgabe d__ Außenhandels ist es in erst__ Linie, jen__ Güter zu beschaffen, d__ d__ einheimisch__ Wirtschaft nicht oder nicht in ausreichend__ Maße liefern kann.

—Bei Auslandsgeschäften müssen d__ Kaufverträge so eindeutig formuliert sein, daß kein__ Mißverständnisse über ihr__ Auslegung möglich sind.

—'ab Werk': D__ Käufer übernimmt sämtlich__ Kosten und Risiken von d__ Zeitpunkt an, zu d__ ihm d__ Ware bei d__ Lieferer zur Verfügung gestellt wird.

—'frei Haus verzollt': D__ Preis schließt sämlich__ Kosten bis in d__ Lager d__ Kunden ein (für dies__ d__ angenehmst__ Vertragsklausel!).

Rollenspiel

You have travelled to Bremen to meet Mr Lorenz of Eichler GmbH to enter into final negotiations concerning your product.

Ms Matlock —*(Greet him. You are glad to meet him personally after talking to him so often on the 'phone.)*

Herr Lorenz—Guten Tag, Frau Matlock. Das Vergnügen ist ganz auf meiner Seite. Vielen Dank, daß Sie uns besuchen kommen, um die Verhandlungen zu einem Abschluß zu bringen. Hatten Sie einen guten Flug?

Ms Matlock —*(Say yes, excellent; thank him. It was also very kind of him to send someone to pick you up from the airport and bring you to the hotel.)*

Herr Lorenz—Das ist nicht der Rede wert. Sind Sie mit Ihrem Hotel zufrieden?

Ms Matlock —*(Say it is very comfortable and conveniently situated. Ask if he has received your latest proposal, which you faxed two days ago as the post takes so long.)*

Herr Lorenz—Vielen Dank, ja. Um gleich zum wichtigsten zu kommen: Die Preise, die Sie uns vorschlagen, sind immer noch zu hoch. Die Konkurrenz liegt mit ihren Preisen erheblich niedriger.

Ms Matlock —*(Say that your machinery is of a very high quality and in addition you offer excellent service.)*

Herr Lorenz—Das wissen wir, Frau Matlock. Ich möchte Ihnen aber dennoch folgenden Vorschlag machen: Wir bestellen 14 Ihrer Einheiten des Modells 'Masters 14'. Als Mengenrabatt räumen Sie uns dann 7% ein.

Ms Matlock —*(Tell him that you would like to discuss the whole package, including delivery times and terms of payment. As we are talking about half a million pounds you want 40% of the payment with the signing of the contract, 20% on arrival, which will be in 8 months and the rest within 6 weeks. Payment in Pounds Sterling.)*

Herr Lorenz—Das können wir nicht akzeptieren. Die erste Anzahlung sollten wir auf 20%, die weiteren Beträge auf 20% und 60% festlegen.

Ms Matlock —*(Say that is alright with you if he agrees to come down to 5% rebate.)*

Herr Lorenz—Ich sage ja auch nichts gegen die Bezahlung in Ihrer Landeswährung, aber etwas müssen Sie uns noch preislich entgegenkommen. Mein letztes Wort ist 6%.

Ms Matlock —*(Say OK. You can agree to that. This means that the contract for both of you is now guaranteed. Say you would like to invite him to join you for a meal tonight to celebrate the signing of the contract.)*

Herr Lorenz—Vielen Dank, Frau Matlock. Das nehme ich gerne an.

Aufgaben

Aufgabe 1
The president of the Bernkasteler Winzergenossenschaft is in London to see the chief buyer of the major U.K. supermarket chain you work for. Your boss asks you to act as two-way interpreter.

Mr Lewis —Welcome to London, Herr Zinke. Can I offer you a cup of tea or coffee before we begin?

Herr Zinke—Ja, bitte. Einen Kaffee hätt' ich gerne. Nun, wie Sie mir schon geschrieben haben, interessieren Sie sich für unsere Weine.

Mr Lewis —Yes, that's right. We offer a so-called Luxury Selection and we feel that your wines would be an excellent addition to our range.

Herr Zinke—Wie sieht es denn mit der Nachfrage nach Qualitätsweinen aus?

Mr Lewis —It's increasing all the time. Sales are continually rising as the British are drinking more and more wine.

Herr Zinke—Machen Sie Werbung für Ihre Weine?

Mr Lewis —Yes, we certainly do. In fact we are about to begin a major TV advertising campaign featuring in particular our Luxury Selection.

Herr Zinke—Das hört sich ja alles sehr erfreulich an. Ich würde gerne jetzt alle Einzelheiten mit Ihnen besprechen – ich bin überzeugt, daß es für beide Seiten zu einem guten Geschäft kommen wird.

Geschäftsbriefe

Tips für den Geschäftsbrief

Layout

I Except for the date, each line begins on the far left-hand side.

II If a letter is not written on headed paper, the address of the sender appears top left with the address of the recipient below.

III Further examples of addresses:

Peter Krause	Stoobe AG
Preußenallee 245	z.Hd. Frau Reimers
D-5650 Solingen	Postfach 23 45
	D-5300 Bonn 1

IV The date is written either as:

London, 05.12.1994 or as *Bath, den 12.06.1993*

and is spoken as follows:

London, fünfter, zwölfter, neunzehnhundertvierundneunzig
Bath, den zwölften, sechsten, neunzehnhundertdreiundneunzig

(N.B. ordinal numbers are to be used)

V Many business letters on headed paper have a line for the 'subject' of the letter. If this line were missing, then 'Betreff' or 'Betr.:' would be written to introduce the 'subject', although this custom is now fading out. The 'subject' appears between the line for the date and the line for the salutation.

VI Headed paper also has the following divisions:

Ihr Zeichen/Unser Zeichen/Ihre Nachricht vom/Unsere Nachricht vom

Without this line the following is used:

Ihre Nachricht vom . . .

VII The salutation:
Sehr geehrte Damen und Herren, (if the recipient is not known)
Sehr geehrte Herren, (this is normally no longer used now unless it is a known fact that only men will receive the letter).

VIII A personal salutation is always preferable:

Sehr geehrte Frau Schlösser,
Sehr geehrter Herr Lezius,

The salutation is followed by a comma (and no longer, as used to be the case, by an exclamation mark) and the first word of the letter itself is written small unless it is a noun etc.

IX To people on first name terms:
Lieber Peter,
Liebe Ursula,

X Even to business colleagues of long standing, but where first name terms are not used, the salutation can be more personal as follows:

Liebe Frau Küster,
Lieber Herr Lindner,

XI The most frequently used greeting is:
Mit freundlichen Grüßen or more rarely *Mit freundlichem Gruß*
Freundliche Grüße

The greeting used often in the past, *Hochachtungsvoll*, is nowadays reserved for senior figures in society or for letters which convey a 'frosty' tone such as payment reminders etc.

XII Underneath the signature, the name of the signatory should be printed in brackets.

XIII Any enclosures should be mentioned at the very bottom of the letter:
Anlage: Preisliste

Beispielbrief:

LEA & PERRINS INTERNATIONAL LIMITED
Registered Office: MIDLAND ROAD, WORCESTER WR5 1DT, ENGLAND
Telephone: 0905 763367 Telex: 336060 LEAPER G Facsimile: 0905 763079

Brinkmann GmbH
Herrn Winnand
Exportabteilung
Höferstr. 53

D-8900 Augsburg 1

Worcester, den 05.05.

Anfrage nach Preisliste
Ihre Broschürensendung vom 12.02. p/s

Sehr geehrter Herr Winnand,

ich danke Ihnen recht herzlich für die Übersendung der Broschüren Ihrer Präzisionsmaschinen. Unser Unternehmen ist an Ihren Maschinen interessiert, da sie sehr gut in unseren Produktionsablauf zu integrieren und anscheinend an unsere bestehende Anlage anzuschließen sind. Die offenen Fragen betreffen zu diesem Zeitpunkt jetzt Preis, Liefer- und Zahlungsbedingungen. Wir freuen uns auf eine Zusammenarbeit mit Ihnen.

Mit freundlichen Grüßen
Lea & Perrins International Ltd

(Frances Woolley)

Wichtige Sätze in Geschäftsbriefen:

Thank you for your letter of . . .	*Vielen Dank für Ihren Brief/Wir danken Ihnen für Ihren Brief/Ihr Schreiben vom*
In reply to your letter of . . .	*In Antwort auf Ihren Brief/Ihr Schreiben vom . . .*
With reference to your letter of . . .	*In Bezug auf Ihren Brief/Ihr Schreiben vom*
We refer to our order no. . . .	*Wir beziehen uns auf unsere Auftragsnummer . . .*
We are pleased to inform you that . . .	*Wir freuen uns, Ihnen mitzuteilen, daß . . .*
We wish to inform you that . . .	*Wir möchten Ihnen mitteilen, daß . . ./ Wir möchten Sie informieren, daß . . .*
Kindly inform us whether . . .	*Könnten Sie uns bitte mitteilen/ informieren, ob . . .*
Enclosed please find . . .	*In der Anlage finden Sie . . .*
We would be grateful (to you) if . . .	*Wir wären (Ihnen) dankbar, wenn . . .*
We would be much obliged (to you) if . . .	*Wir wären Ihnen sehr verbunden, wenn . . .*
We hope/trust that . . .	*Wir hoffen, daß . . .*
We regret to inform you that . . .	*Wir bedauern, Ihnen mitzuteilen, daß . . .*
We regret to have to inform you that . . .	*Wir bedauern, Ihnen mitteilen zu müssen, daß . . .*
Could you please send us . . .	*Könnten Sie uns bitte . . . zuschicken*
Would you please/kindly . . .	*Würden Sie bitte . . .*
We hope for good business relations	*Wir hoffen auf gute Geschäftsbeziehungen*
We look forward to an early reply	*Wir würden uns freuen, recht bald von Ihnen zu hören*
We thank you for your co-operation	*Wir danken Ihnen für Ihre Zusammenarbeit*
We will be in touch with you again shortly	*Wir werden uns in Kürze wieder mit Ihnen in Verbindung setzen*

Brief Nr. 1

Translate into English:

Elco Textil GmbH
Am Wall 20

D-2800 Bremen 1

Highland Clothiers
The Croft
Main Road
Nairn
Scotland

Bremen, den 1. November

Sehr geehrte Damen und Herren,

wir sind Großabnehmer von Wolle und Wollstrickwaren der gehobenen Qualität und haben Ihren Namen von der Industrie- und Handelskammer in Bremen vermittelt bekommen.

Wie wir erfahren haben, exportieren Sie sowohl fertige Strickwaren als auch Wolle zur weiteren Verarbeitung. Wir sind an beiden Produktbereichen interessiert und möchten Sie bitten, uns Muster mit einer aktuellen Preisliste zukommen zu lassen. Teilen Sie uns bitte gleichzeitig auch Ihre Liefer- und Zahlungsbedingungen mit.

Mit freundlichen Grüßen
ELCO TEXTIL GmbH

Brief Nr. 2

Compile a reply in German encompassing the following points:

Thank for enquiry – samples and current price list being sent along with all other details as requested – new international catalogue in English, French and German being prepared at the moment – will be sent as soon as printed, at latest by end September in time for November fashion shows in Edinburgh and London – invite Elco to attend and request them to advise on numbers and any accommodation to be booked – you will arrange everything including transport within U.K. from/to Heathrow Airport – end with usual greetings, looking forward to mutually beneficial co-operation.

Brief Nr. 3

Translate into English:

Kartographika
Postfach 47
Eppelsheimer Str. 181

D-4500 Osnabrück

NIDC
Cormackerry House
Priory Square
Belfast
Northern Ireland

Osnabrück, den 17. Januar

Sehr geehrte Damen und Herren,

unser Unternehmen plant im Rahmen des Industrieausweitungs-programms der Europäischen Gemeinschaft ein Papierherstellungs-werk auf dem Gelände des neuen 'Kerryside'-Industrieparks zu errichten. Wir möchten Sie daher ersuchen, uns Ihre 'Europa-Unterlagen' zu schicken.

Außer den üblichen EG-Subventionen möchten wir vielleicht noch die von Ihnen angebotenen Anlagekredite nutzen. Dürften wir Sie bitten, uns die Bedingungen des Kreditplans mitzuteilen.

Wir hoffen auf baldige Antwort und verbleiben

mit freundlichem Gruß
KARTOGRAPHIKA

Brief Nr. 4

Reply on the following lines:

Thank for enquiry – delighted at the news and feel sure they can successfully be accommodated – the 'Europa' package being sent under separate cover – point out that credit can be granted up to a maximum of £25,000 currently at 12% interest, repayable within 3 years – full details contained in enclosed booklet – suggest face-to-face meeting would be helpful – would be pleased to show them over the site – initial contact can be made with NIDC representative c/o British Consulate, Königsallee 15, 4000 Düsseldorf 1, tel: 021/647016.

Brief Nr. 5

Translate into English:

Domizil AG
Lodenheide 18

D-4630 Bochum

Eskdale Potteries
Limekiln Road
Penrith
Cumbria

Bochum, den 7. Juni

Sehr geehrte Frau Mountjoy,

gerade ist bei uns Ihre zweite Ladung eingetroffen. Zu unserem Bedauern haben wir festgestellt, daß es bei der 'Rusitica'-Töpfereiserie an verschiedenen Einzelstücken fehlt. Desweiteren ist der Satz an 'Floralis'-Blumentöpfen völlig ausgeblieben. Wie wir Ihnen schon mitgeteilt haben, ist die Nachfrage für diese Artikel besonders groß, und wir hatten bei dieser Bestellung die Frühjahrssaison im Blick.

Wir müssen Sie daher bitten, uns umgehend die nötigen Ersatzstücke und den fehlenden Satz zu schicken. Sollte das nicht möglich sein, würden wir uns dazu gezwungen sehen, den gesamten Auftrag rückgängig zu machen und uns nach anderen Herstellern umzusehen. Wir hoffen aber, daß es dazu nicht kommen wird.

Wir bitten nochmals um schnellste Erledigung der Angelegenheit.

Mit freundlichen Grüßen
DOMIZIL AG

Brief Nr. 6

Reply to the letter as follows:

Acknowledge receipt of letter and express regret over the mistake – the missing 'Rustika' pieces were discovered the day after despatch and forwarded immediately – the 'Floralis' sets were not sent due to confusion over two orders from West Germany – the oversight has now been rectified and the sets despatched that same day (i.e. the 22nd) – it is hoped that the two outstanding parts of the order will arrive by the 31st of the month at the latest, still well in time for the summer rush – in order to maintain good business relations with them, you wish them to accept a special discount of 8% on the total order and are sending with your company's compliments the new set of five hand-painted flower vases which you trust will make some amends for the inconvenience caused – apologise once again and hope that the incident will not cloud the otherwise good relations between your two companies.

Brief Nr. 7

Translate into English:

Lindenhof Nahrungsmittel GmbH
Rondenburgstr. 30

D-6083 Walldorf

Sceptre Foods Ltd
46 Barking Lane
London E17 6HS

Walldorf, den 28. September

Sehr geehrter Herr Murphy,

wir beziehen uns auf unsere Bestellung Nr. A 10966, die einer Erfüllungsfrist von 15 Tagen unterlag, die Sie in Ihrem Schreiben vom 28.08. akzeptiert hatten.

Bedauerlicherweise müssen wir Ihnen hiermit mitteilen, daß diese Frist Ihrerseits nicht eingehalten worden ist. Die Lieferung war vor einer Woche fällig. Wir sehen uns nun dazu gezwungen, nicht nur den Auftrag völlig zu annullieren, sondern auch von Ihnen Schadensersatz wegen Nichterfüllung des Auftrages zu verlangen. Wir haben unser Rechtsanwaltsbüro entsprechend angewiesen und man wird sich in den nächsten Tagen mit Ihnen in Verbindung setzen.

Hochachtungsvoll
LINDENHOF NAHRUNGSMITTEL GmbH

Assignments

Assignment One: Wintergärten

A Masterpiece within your means.

Scenario
You are the Marketing and Sales Director – and the only German speaker – for Viceroy Conservatories of Poole, Dorset. The company, set up in 1984, is a small, personalised operation with about 20 staff, manufacturing individually designed, hand-crafted conservatories and swimming pool halls and offering a full follow-up service in both the domestic and commercial sectors. They supply brewery outlets and hotels as well as private homes.

The Company already operates throughout the U.K., including the Channel Islands, and is interested in the idea of expanding into Europe, especially as there is a convenient freight ferry link between Poole and Cherbourg.

Product information
see accompanying company literature

—prices: product priced individually, dependent upon customer requirements (see example costing)

—outstanding features: individual 'personalised' manufacture using only the finest red cedarwood; widely affordable luxury product

—comprehensive service including survey, design, manufacture, erection and full after-sales service to ensure client satisfaction

—product carries full 12-month guarantee

—client arranges painting and staining to own choice, then company carries out glazing, again to choice, which leads to 'practical completion' of the order

CONSERVATORIES BY VICEROY

Your chance to make a personal statement...

A Viceroy Conservatory says who you are. An aesthetic assertion that you're not Smith or Jones, you're an individual with your own identity. You're you.

A customer once told us: "Mine's the only property here with a conservatory. I feel 'me' at last." More recently, "Now there are 6 conservatories in the area, and they're all as stereotyped as each other. Mine's the only Viceroy. I still feel 'me!' "

Whatever period your property is, Queen Anne to Modern, Viceroy classic craftsmanship – Victorian in inspiration, flexible in finish – will capitalize on your original structure and complement its style.

We have satisfied some big business names; major breweries like Courage and Ind Coope to name but two.

At Littlecote House, Peter de Savary didn't want a predicable carbon copy of his next county neighbour's, which was why we were called in.

Whoever you are, whatever your property, the principle's the same and a simple one: invest in Viceroy verve and variety and the Jones'll never keep up with you. Unless of course they consult us, and even then, they'll have a "Jones" Conservatory. You'll have a "You" Conservatory.

We don't make little boxes to make other boxes bigger. We're character-builders.

Your choice for the sake of your Bank Statement.

You don't have to be a Big Brewery to own a conservatory, let alone build a better, more individual one like Viceroy. Here's how yours can be exclusive without being over-expensive.

Viceroy versatility really comes into its own with our infinitely, ingeniously interchangeable system of Modular Panels. Look on it as Leonardo de Vinci's version of Lego: all the fundamental foundation-pieces are there, hand-fashioned by our own carpenters, but in such a fiendishly simple combination of technological possibilities that they can be interconnected to suit most specifications. When they don't, it's not your problem; it's our challenge. Because all the basics are already there, in a system that's cost-effective for us as well as you, we can then competitively custom-create for every known contingency – be it an awkward angle here, your eccentric itch for an extra eave there.

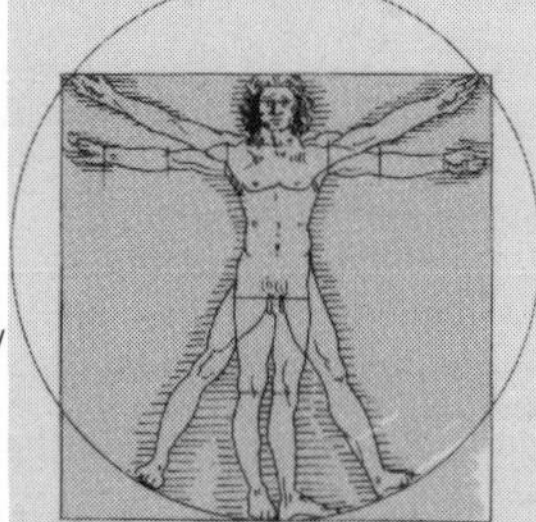

Leonardo Da Vinci's Canon of Proportions.

So you've got the best of all possible worlds: classic, custom craftsmanship plus today's technology, neither mass-manufactured nor down-market, yet at down-to-earth prices. Other conservatory manufacturers can offer you one of these options, none of them can offer you all of them. Viceroy can, and are, right now. What it ultimately means, to us and you, is a masterpiece well within your means.

PAGE 2

CONSERVATORIES BY VICEROY

Created by a team of talent and truth...

When we say "build", that's exactly what we mean. We're not an anonymous assembly-line churning out computerized extension-kits.

Viceroy is a company of people for people, often an unfashionable concept in today's marketplace. We've got a factorized workshop of highly skilled and trained joiners, fronted by a close-knit team of qualified Designer-Surveyors and a mobile workforce of personally vetted/supervised professional builders.

We work only with what works for you in the long run. Our wood is all Western Red Cedarwood, because it's the most waterproof and rot-repellent option. Its interior is as durable as its exterior and is stainable with whatever surface and colour you select.

We work with anything that works well for you. From sophisticated Polygal Polycarbonate Roof-Glazing, the sturdier alternative to glass, to authentic Wrought-iron Spandrels, individually forged for Viceroy and you.

When it comes to choice, remember we're not a computerized mega-operation with a massive turnover to whom you're just a name and profit percentage. But a handful of hardcore professionals who care about what they craft and create for you, what they charge you.

A company which has grown and is growing as the foliage will in your conservatory. But which hasn't grown so much and fast it's forgotten what it feels like for one modest property and its caring owner, to grow.

So building costs don't go through the roof.

You'll reckon our follow-up service is something to raise the roofbeams about.

You'll be contacted in person, after sending off our reply-paid card, by one of our Designer-Surveyors to help you work out your most creative but cost-effective option. You might want to do-it-all-yourself, in which case we'll arrange a Supply-Only Delivery. You might want to use our builders, or a locally recommended team. Again, Viceroy Involvement will advise you, free of cost and commitment, on this and other important issues.

With Quotations, Estimates, Detailed Expenditure Forecasts in easy, Shopping-list Format, Consultations on Planning Permission/Building Regulations, even Scale Drawings are easily available. There's a warranty as foolproof as the wood's waterproof.

Any queries, we've got the time, experience and willingness to assist you solve them. As we said above, we didn't get where we are today, visible throughout the UK, by cutting any corners in costs, construction or care.

PAGE 3

CONSERVATORIES BY VICEROY

Technical Data.

Manufactured from carefully selected Western Red Cedarwood, a wide range of well-proven design permutations can be achieved to produce traditional bay-end and gable-end roof styles.

Construction

All units are prefabricated in easy-to-assemble sections using rust-proofed screws and anchor fixings to secure frames to brickwork. Alternate window sashes are top-hung for ease of opening and improved airflow. Roof ventilators are operated from floor level by a winder device. Door sets in pairs open outward/inward and are equipped with brass lever handles, mortice lock and barrel bolts. All sections are treated at the factory, either primed for painting or specially sealed for wood preservation.

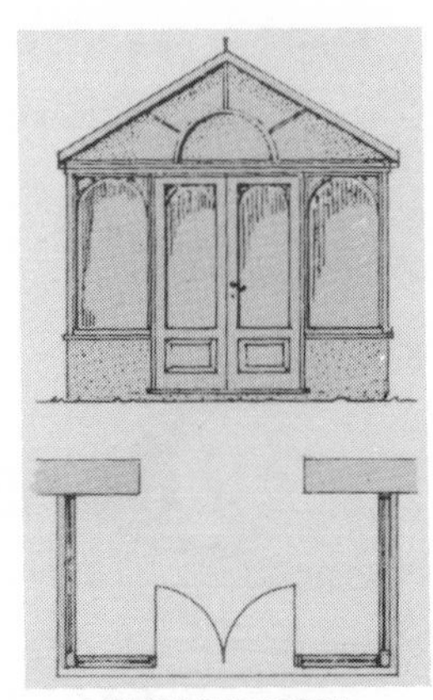

GABLE-END PORCH

Glazing

(Observing Code of Practice BS 6262)

A number of alternatives are offered at extra cost, including double glazing using sealed units and Polygal Polycarbonate for the roof.

Gutters

A choice of coloured PVC square guttering is supplied with the building for fixing at eaves level, together with the necessary downpipes.

Quotations are available on request for Building Works, Planning Permission and other Building Services.

FACTORY FINISH

One Coat Aluminium Primer or

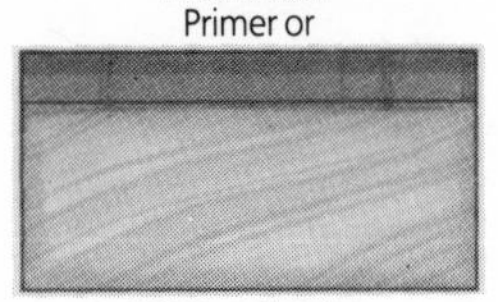

Choice of Stain

BAY-END PORCH

VICEROY BUILDINGS LTD.
Viceroy House · 53 Wessex Trade Centre · Ringwood Road
Parkstone · Poole · Dorset BH12 3PG · Tel. (0202) 734149

EXAMPLE COSTING FOR :-

A BAY END CONSERVATORY - AS SHOWN OVERLEAF

Size approximately 4158mm x 3756mm (13'7¾ x 12'4), consisting of window style WSM/RB with two opening sashes, one set of double doors and two roof ventilators.

SUPPLY ONLY - WITHOUT GLASS			£3,699.00

EXTRA FOR :-

	(a)	10mm Twinwalled polycarbonate sheeting to roof	£ 455.00
OR	(b)	4mm Toughened glass to roof	£ 543.00
	(a)	4mm Toughened glass to sides, including doors	£ 404.00
OR	(b)	4mm Float glass to sides, but toughened to doors	£ 196.00
OR	(c)	4:6:4 Double glazed units to sides, but toughened to doors	£ 717.00
ERECT AND GLAZE (Approximately)			£1,250.00

ALL ABOVE PRICES ARE SUBJECT TO V A T

DELIVERY :- EXTRA

This an example costing only. A free Survey and Quotation will be submitted upon request.

NB:- Prices for ground work and erect and glaze vary according to distance.

—terms of payment: 30% deposit with the order, 50% on delivery and final 20% on practical completion

—company offers classic custom craftsmanship combined with today's technology

Brief
Encouraged by the positive results from preliminary market research in Germany, you decide to make an exploratory business trip with the aim of appointing an agent there.

Task 1
Send a letter of introduction to Herr Otto Sander, Handelsvertreter, Liebigstraße 7, D-4000 Düsseldorf, whom you have identified as a potential company agent, giving an outline of your company and its products.

Task 2
Having received a favourable reply from Herr Sander, you now 'phone to arrange a mutually convenient appointment to meet in Germany.

Task 3
At the meeting you present your product in some detail to Herr Sander, mentioning the following additional points.

—wood stains can be supplied on request

—a range of specially designed wrought-iron furniture is also available

—product aimed at the A and B1 social categories

—deliveries to Germany could well be by container loads

Task 4
Send a telex to Herr Sander, inviting him and Frau Rosner, the German advertising agency contact he has recommended, to visit your company and attend the forthcoming South of England Show at Ardingly in West Sussex, where you exhibit annually. Offer to arrange transport and accommodation as appropriate and request dates for the visit within the relevant period of the show.

Task 5
During the visit to England, you discuss with Frau Rosner the advertising to be done in Germany. Mention that, in view of the social categories most attracted by your product, you consider the best medium to be the glossy magazines such as the ones your company uses in the U.K., namely *Country Life*, *Traditional Homes* and *Country Homes and Interiors*. Discuss possible options for the German market.

Task 6
Having found the following article on conservatories in the German magazine *Schöner Wohnen*, you summarise it in English for the benefit of the company directors towards future decision-making with regard to company planning for its potential German market.

Wintergärten: Mehr Spaß mit Glas

Ein Wintergarten kann viel – das Klima verbessern, die Natur überlisten, Heizenergie sparen. Man kann immer im Grünen sitzen und manche Architektensünde läßt sich so kaschieren. Wir zeigen zwei Wintergärten im viktorianischen Stil, weil die Engländer das am besten können.

Keine Frage: Engländer sind Spitze in Sachen Glasarchitektur. Schon 1853 setzte der englische Gärtner Joseph Paxton mit seinem Kristallpalast Maßstäbe. Die Sensation aus Glas begeisterte wegen der ungewöhnlichen Ausmaße. Heute wird die Tradition des viktorianischen Zeitalters wiederaufgegriffen, wie diese Wintergärten zeigen. Der Architekt ist ebenfalls Engländer: Frances Machin, ein Mann mit Augenmaß und Blick für Größe.

Vor kurzem hatte er eine Aufgabe, die gar nicht leicht war: einen Anbau zu errichten – aus Fitneß-Gründen und aus Freude am Wasser wurde vom Bauherrn ein Swimming-Pool geplant – ohne die Architektur des Landhauses in Gloucestershire zu beeinträchtigen.

Ergebnis: nach vielen Monaten fleißiger Arbeit ein Wintergarten, worauf die Königin Viktoria selber stolz gewesen wäre. Der Besitzer des Landhauses war begeistert.

Wenn Sie, liebe Leser, genauso im siebten Himmel sein wollen, dann empfehlen wir Ihnen, sich diese wunderschönen englischen Wintergärten genauer anzusehen. Sie werden nicht enttäuscht sein – das können wir nach unserer kurzen Rundreise durch Englands grüner Landschaft ohne Bedenken garantieren.

Assignment Two: Historische Reisen in Großbritannien

Scenario

You are the marketing manager/Germany for the BTA (British Tourist Authority) and are embarking on a promotional campaign for incoming inclusive tours to Britain. The campaign is being mounted to promote in particular heritage tours to towns, cities and sites of historical interest.

For the German market, tours have been designed in the luxury category for transport within Britain and hotel accommodation, including specially arranged evening entertainment such as mediaeval banquets and concert parties in country house settings. Groups of between 25 and 100 can be catered for, with special discounts offered for groups of 60 upwards on a sliding scale. Tours are escorted throughout by a German-speaking guide and a fully inclusive package from Germany can be arranged in conjunction with B.A. on either scheduled or charter flights.

Brief
You invite a delegation of German tour operators and travel agents to the BTA office in Frankfurt/Main for the campaign launch.

Task 1
Send out an initial mailshot to introduce the promotion and invite the tour operators and travel agents to attend the campaign launch in Frankfurt/Main.

Task 2
At the BTA office you launch the campaign to an audience of tour operators and travel agents.

Task 3
Draft a 'press release' to be sent to the major newspapers introducing the promotion.

Brief
Back at BTA headquarters in London, you are dealing with enquiries coming in from Germany leading up to the beginning of the tour season.

Task 4
Pass on in memo format the following telex, translated into English, to the head of tour operations, Mark Hannay:

HINSICHTLICH WUERZBURGER REISEGRUPPE (HENSCHEL): ANKUNFT VERSCHOBEN UM 1 TAG - 23.06. STATT 22.06. UND GRUPPENGROESSE VERMINDERT VON 32 AUF 30 PERSONEN, D.H. BENOETIGEN 1 ZWEIBETTZIMMER WENIGER ALS GEPLANT: BITTEN UM KLEINE ERWEITERUNG DER REISEROUTE WESTLICH VON SALISBURY: AUCH NACH WINCHESTER, STATT DIREKTE RUECKKEHR NACH LONDON.
MFG

Task 5
Send the telex in reply from Mark Hannay:

Thanks for telex yesterday – changes noted re. arrival date and revised party size. Itinerary also amended as follows: departure from Stratford-on-Avon one hour earlier to allow for sightseeing in Salisbury same day. Next morning, departure from Salisbury immediately after breakfast to give full morning in Winchester. Additional afternoon stop included in Portsmouth to visit Maritime Museum before returning to London.

Assignment Three: Imageverbesserung

Scenario
Lea & Perrins are launching a major press advertising campaign for their sauces, including the traditional Worcester sauce, presenting a new image with a view to boosting sales and market share. This is taking place against a background of increasing competition as other spicy sauces come into prominence.

Brief
As Sales Director/Europe, you have appointed the Cologne-based Nord-Süd-Werbeagentur, a domestic advertising agency in West Germany, to handle the campaign there.

Task 1
Compile a letter to the agency introducing the campaign and the background to it as outlined above, adding the following points

—recent market research has shown that 46% of all households use L&P Worcester sauce on a regular basis

—its use has, however, been confined to red meat

Make it clear that the campaign is intended to show how the sauce can enliven a whole variety of different foods, including fish and chicken and that the shopper now has an additional choice with the new 'chilli & garlic' sauce.

Brief
You have now received for assessment the agency's suggested list of press publications to be targeted.

Task 2
As time is short, you send a telex in German as follows:

Thank you for the press publications list – suggest you also include main local newspapers for Hamburg, Frankfurt/Main, Cologne and Munich – maybe adding others later. Please advise on feasibility of including the TV and radio journal *Hör zu*. Suggest delete *Stuttgarter Rundschau* as covered already by *Süddeutsche Zeitung*. Request fee scales for *Stern*, *Brigitte* and *Essen und Trinken*.

Brief
Having now seen the prototype artwork and copy, you are reaching the stage of putting the final touches to the campaign.

Task 3
Telephone the agency to make the following points:

artwork and copy meet with your approval, although you do not want undue emphasis on the 'heritage' aspect of the Worcester sauce, now in existence for over 150 years, but rather on the up-to-date versatility of both the sauces and the entirely natural, healthy ingredients. Stress, too, the uniqueness of the recipes and the fact that they are secret which means they cannot be imitated.

Assignment Four: Die Übernahme

ENTENTE CORDIALE!

HP FOODS has been bought by BSN – the biggest food and drink company in France. Does this mean that Frank Bruno could be seen on the box advertising HP flavoured frogs legs? BSN Chairman Antoine Riboud says 'Non' and Managing Director Nigel Worne is equally sure that Frank will not be seen pouring garlic flavoured HP on his chips. HP Sauce and Lea & Perrins Worcestershire Sauce will stay exactly the same... our new owners haven't even asked to be let into the secret of Lea & Perrins recipe!

"But," comments Nigel Worne, "this should mean the start of a much broader attack on the UK grocery market as we investigate the potential of introducing BSN's top grocery lines into the UK.

"It should also mean that our European sales grow at an accelerated rate. I really think this is one of the best things that could have happened to us.

"Companies are bought and sold everyday, but rarely does a take-over receive so much publicity in the press, or on radio and television. . . not only in Britain, but throughout the world as well."

"It all goes to show just how popular HP and Lea & Perrins are.

"HP is the biggest producer of sauce in this country. We make the two most famous sauces in the world. All of our products — our sauces, baked beans, pasta shapes, pickles, soups and desserts — are renowned for their high quality and 'Britishness'.

"Perhaps the greatest advantage of all though is the fact that we are now owned by a company that is seriously dedicated to succeeding at the sharp end of the food business."

BSN has been in the food and drink business for only 22 years — but in that time they have become No.1 in France and No. 3 in Europe.

Antoine Riboud and Nigel Worne—a Lanson Champagne and HP Sauce partnership

"It's a tremendous advantage to be owned by a company which is another specialist in food," says Nigel Worne." BSN understand research, development — and our needs for investment.

"On top of that, the reality of a true European market is just around the corner.

"In less than 4 years, the Channel Tunnel should be finished. In 1992 all of Europe becomes one market and throughout the EEC passports will be a thing of the past. And as a major British manufacturer, we must get ourselves geared up for these events so that we benefit from the vast market this opens up to us.

"Our job now is to put the issues of the past few weeks at the back of our minds and get on with the job of ensuring we finish off this year with a bang. Next year will be very busy as our own development programme unfolds and as we are assimilated into the BSN Group.

"July 1988 marks the beginning of a new and exciting era for HP Foods."

Here's what BSN had to say about HP Foods, and how well it can benefit from the opening up of a huge new European market. . .

‘This transaction reinforces BSN's position in the sauce and condiments sector, with the acquisition of internationally well known brands which are established in over one hundred countries. The sauces and condiment markets are amongst the fastest growing food markets in Europe.

The HP Foods business fits perfectly with BSN's European strategy; it is the first significant acquisition by the BSN group in Great Britain. In addition, it reinforces the establishment of BSN in the USA.

Thus BSN will acquire an excellent base for the further distribution of its grocery products in Great Britain, in the USA and many other countries.

BSN looks forward to working with the HP and Lea & Perrins Group, together with its management and employees, in the continuing development of these leading brands in international markets, as part of the BSN Group.’

BSN at a glance

WITH sales volume of FF 37.2 billion, (approximately £3.5 billion) BSN is the leading French agro-food group.

Formed in 1966 through the merger of two glass companies — Souchon Neuvesel (glass for containers) and Boussois (flat glass), BSN has, since the beginning of the 1970s, been increasingly oriented to the food sector.

Over a period of 20 years, BSN has expanded steadily, to become the leader worldwide in fresh dairy products and mineral water, the second in Europe in beer and pasta, third in the world in biscuits and champagne, while remaining the leading European producer of bottles, the company's original activity.

BSN's operations are divided among six Divisions:

■ *Dairy Products:* yogurt, natural cheeses and desserts, primarily under the brand names Gervais and Danone.

■ *Grocery Products:* pasta, prepared dishes, mustards, sauces and condiments, baby foods, soups, confectionery — under the brand names Panzani, Ponte, Amora, Maille, Diépal, Gallia, Liebig, Vandamme, Pie Qui Chante, Materne, Sonnen-Bassermann.

■ *Biscuits* — under the brands Lu, L'Alsacienne, Heudebert, De Beukelaer, Mother's, Salerno.

■ *Beer* — under the brand names Kronenbourg, Kanterbräu, Alken, Wührer, Mahou.

■ *Champagne and mineral water:* Pommery and Lanson are the BSN champagne houses, and Evian, Badoit, Font Vella, Sangemini, Ferrarelle are the principal mineral water brands.

■ *Containers:* BSN manufactures packaging materials in glass (bottles, flasks, jars) as well as in plastic.

Why we are pleased to welcome BSN

Sales and Marketing Director Peter Moseley explains why BSN's acquisition of HP Foods is good for both parties.

What happens next?

PIERRE Bonnet, Associate Executive Vice President of BSN has already visited Market Harborough, and over the next few months he and other senior members of the BSN Management Team will be in the UK to find out more about HP Foods, meet as many people as possible and visit our manufacturing units.

OVER the past few years, BSN has made great strides in developing its business in the sauce and condiments sector. Although a lot of its product names are unfamiliar to us, its brands such as Amora's mustard, ketchup, mayonnaise and vinaigrette products, Maille's gourmet mustards, Liebig's new 'superfine' sauces and Panzani's tomatò based pasta products are all great favourites and very successful throughout Continental Europe. So you can see their range is highly complementary to our own HP, HP Canning & Symington's product range.

While BSN is exceptionally strong on the Continent ... the biggest food, drinks and packaging company in France ... it has been looking for some time for a company with quality products and an excellent trading reputation in the United Kingdom. BSN needed a base in the UK which would be big enough and reputable enough to add to the development of its other grocery products — particularly in the sauce, condiments and canned foods sector of the market.

Consequently, when Hanson PLC made it known that they would consider offers for HP Foods Limited, BSN showed an immediate interest.

Who are our new owners

BSN's sales in grocery products alone last year were £880 million.

But that's only part of the picture.

BSN is world leader in fresh dairy products ... much bigger than St. Ivel or Eden Vale.

BSN is also world leader in mineral water ... Evian is its best known brand here, which it handles through an importer/distributor ... the world's third largest biscuit maker: Europe's second biggest pasta maker: Europe's second largest brewer (Kronenbourg is the best known brand to us): Europe's largest bottle manufacturer ... and the third largest producer of champagne in the world — with Lanson and Pommery being two of its biggest selling brands.

What's even more remarkable is that BSN has only been going for just over 20 years! Last year, the total turnover of the company was nearly £4 billion. Now if that doesn't show that we have been bought by a Company that knows exactly where it is going and that is prepared to invest in success, then I don't know what does!

Head of BSN's Grocery Product Division is Geoffroy Pinoncely. When the purchase of HP Foods was announced, M. Pinoncely said: "HP Sauce is one of Britain's most famous and enduring brands and of course, Lea & Perrins is one of the truly famous international food brands. We are delighted to add them to our portfolio of household brand names.

"The UK represents a new market for us and we are looking forward to working with the HP management team to develop this exciting opportunity."

SALES BREAKDOWN BY DIVISION

Index: 1983 = 100

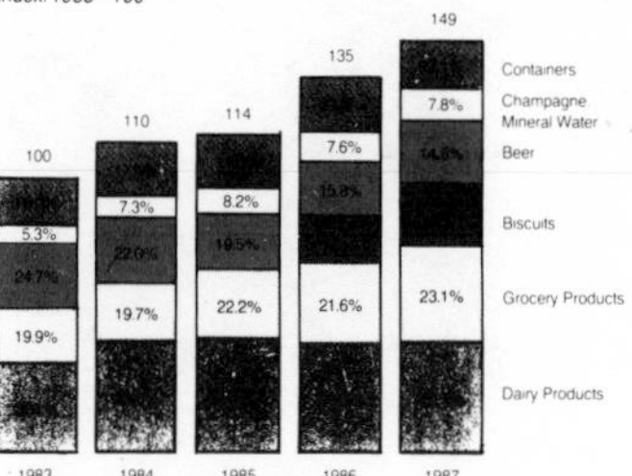

Champagne included from 1984
Biscuits included in part in 1986

GEOGRAPHICAL BREAKDOWN OF 1987 SALES BY DIVISION

Division	France	Europe outside France	Outside Europe
Dairy Products	51.7%	24.7%	23.6%
Grocery Products	78.2%	18.8%	
Biscuits	51.0%	27.7%	21.3%
Beer	78.7%	19.6%	
Champagne Mineral Water	63.0%	30.7%	
Containers	65.0%	33.0%	
Total	64.2%	24.5%	11.3%

It's Good News for L & P International Too!

BY buying HP Foods, BSN not only gains a firm foothold in the UK market, but, through the strength and reputation of Lea & Perrins and HP brands abroad, they will position themselves for massive expansion world-wide.

Lea & Perrins and HP brands are already distributed in over 100 countries. Through our Australian factory, our brands already have a significant presence, in the Australian and New Zealand sauce markets. We also have an active market in Canada.

So Lea & Perrins International will also have a great deal to contribute.

Published by HP Foods Limited Printed in England

Scenario
Via a European business consortium to which you are linked comes a request for more information about the takeover of Lea & Perrins by the French-owned BSN Group from Ostermann und Co., a German biscuit manufacturing company in Cologne who have similarly attracted the interest of BSN.

Brief
Using the 'HP-BSN Special' documentation, compile a short report on the takeover in German to be sent to Ostermann und Co., whose address is Festungswall 12, 5000 Köln 51.

Grammatische Hinweise

I The definite article (the)

	Masculine	*Feminine*	*Neuter*	*Plural*
Nominative	der	die	das	die
Accusative	den	die	das	die
Genitive	des	der	des	der
Dative	dem	der	dem	den

II The indefinite article (a/an, no)

	Masculine	*Feminine*	*Neuter*	*Plural*
Nominative	(k)ein	(k)eine	(k)ein	keine
Accusative	(k)einen	(k)eine	(k)ein	keine
Genitive	(k)eines	(k)einer	(k)eines	keiner
Dative	(k)einem	(k)einer	(k)einem	keinen

III Adjective endings with der, etc.

	Masculine	*Feminine*	*Neuter*	*Plural*
Nominative	-e	-e	-e	-en
Accusative	-en	-e	-e	-en
Genitive	-en	-en	-en	-en
Dative	-en	-en	-en	-en

IV Adjective endings with ein, etc.

	Masculine	*Feminine*	*Neuter*	*Plural*
Nominative	-er	-e	-es	-en
Accusative	-en	-e	-es	-en
Genitive	-en	-en	-en	-en
Dative	-en	-en	-en	-en

V Adjective endings used alone

	Masculine	*Feminine*	*Neuter*	*Plural*
Nominative	-er	-e	-es	-e
Accusative	-en	-e	-es	-e
Genitive	-en	-er	-en	-er
Dative	-em	-er	-em	-en

VI The pronouns

	Nominative	*Accusative*	*Dative*
I	ich	mich	mir
you (informal singular)	du	dich	dir
he, it (*der*)	er	ihn	ihm
she, it (*die*)	sie	sie	ihr
it (*das*)	es	es	ihm
we	wir	uns	uns
you (informal plural)	ihr	euch	euch
you (formal)	Sie	Sie	Ihnen
they	sie	sie	ihnen

VII A reflexive verb

sich entscheiden (to decide)

ich	entscheide	mich
du	entscheidest	dich
er, sie, es	entscheidet	sich
wir	entscheiden	uns
ihr	entscheidet	euch
Sie	entscheiden	sich
sie	entscheiden	sich

VIII The passive form

Present	es wird benutzt *(it is being used)*
Future	es wird benutzt werden *(it is going to be/will be used)*
Past 1	es wurde benutzt *(it was being used)*
Past 2	es ist benutzt worden *(it has been used)*
Past 3	es war benutzt worden *(it had been used)*

Zusatzwortliste

accountant	*der Rechnungsführer (–), der Buchhalter (–)*
accounting/finance, (bookkeeping)	*das Rechnungswesen, die Kostenrechnung, die Buchhaltung*
administration	*die Verwaltung (-en)*
advantage	*der Vorteil (-e)*
advertisement	*die Werbung (-en), die Reklame (-n)*
advertising, publicity	*die Werbung*
agency	*die Agentur (-en)*
to agree on	*sich einigen über (+Acc.)*
to agree to	*einverstanden sein mit (+Dat.), übereinstimmen mit (+Dat.)*
airline desk	*der Fluglinienschalter (–)*
airport	*der Flughafen (¨)*
amount/sum (of money)	*der Betrag (¨e)*
to amount/come to	*betragen*
announcement	*die Durchsage (-n)*
application (for a job)	*die Bewerbung (-en)*
to apply for	*sich bewerben um (+Acc.)*
appointment (engagement)	*der Termin (-e)*
apprentice	*der Auszubildende (-n), der 'Azubi' (-s), der Lehrling (-e)*
apprenticeship	*die Lehre (-n)*
arrivals	*(die) Ankunft*
assembly	*die Montage*
assembly line	*das Fließband (¨er)*
to assess, evaluate	*schätzen, auswerten*
authorised signatory	*der Prokurist (-en)*

bank	*die Bank (-en)*
bank draft	*der Bankwechsel*
bankrupt	*bankrott, pleite*
bargain	*der Gelegenheitskauf (¨e)*
in the basement	*im Untergeschoß*
bill, invoice	*die Rechnung (-en)*
bill of lading (B/L)	*das Konnossement, der Frachtbrief (-e)*
board of directors	*der Vorstand*
to book/call a taxi	*ein Taxi bestellen*

brand loyalty	*die Markentreue*
branded goods	*die Markenartikel*
briefcase	*die Aktentasche (-n)*
brochure	*die Broschüre (-n), der Prospekt (-e)*
bureau de change	*die Wechselstube (-n)*
business card	*die Visitenkarte (-n)*
to cancel	*rückgängig machen, streichen, abbestellen, annullieren*
capital goods	*die Investitionsgüter*
car hire	*die Autovermietung*
to carry out (a survey)	*(eine Untersuchung) durchführen*
in cash	*bar*
catalogue	*der Katalog (-e)*
certificate of origin	*das Ursprungszeugnis (-se)*
c.f.	*Verladekosten und Fracht*
to check in (airport/hotel)	*einchecken*
check-in desk	*der Check-In-Schalter (−), der Abfertigungsschalter (−)*
by cheque/Eurocheque	*mit/per Scheck/Euroscheck (-s)*
c.i.f.	*Verladekosten, Versicherung und Fracht einbegriffen*
c.i.f. + i.	*c.i.f. mit Zinsen*
c.i.f.i. + c.	*c.i.f.i. und Provision*
to compete with	*konkurrieren mit (+ Dat.)*
competition	*die Konkurrenz*
to complain about	*sich beschweren über (+Acc.)*
computer	*der Computer (−), der Rechner (−)*
conference	*die Konferenz (-en), die Tagung (-en)*
to confirm	*bestätigen*
consumer goods	*die Konsumgüter*
consumer durables	*die Gebrauchsgüter, die langlebigen Konsumgüter*
credit	*das Guthaben (−), die Gutschrift (-en)*
customs control	*die Zollkontrolle (-n)*
damage	*der Schaden*
damages, compensation	*der Schadenersatz*
data	*die Daten (pl.)*
debit advice/note	*die Lastschriftanzeige (-n)*
deficit	*das Defizit (-e)*
to deliver, supply	*liefern*
delivery	*die Lieferung (-en), die Zustellung (-en)*

delivery date	*der Liefertermin (-e)*
delivery deadline	*die Lieferfrist (-en)*
delivery terms	*die Lieferbedingung (-en)*
demand	*die Nachfrage*
(departure) gate	*der Flugsteig (-e)*
departure	*(der) Abflug (¨-e)*
departures	*die Abflughalle (-n)*
to dial	*wählen*
diary	*der Terminkalender (−)*
directory enquiries	*die Auskunft*
disadvantage	*der Nachteil (-e)*
display	*das Display (-s), die Auslage (-n)*
distribution	*der Vertrieb, der Absatz*
distribution channel	*der Absatzweg (-e)*
distributor	*der Vertriebshändler (−), der Verkaufsagent (-en)*
draft contract	*der Vertragsentwurf (¨-e)*
duty-free shop	*der Duty-Free-Shop (-s)*
duty-free goods	*die zollfreien Waren*
economic climate/situation	*die Konjunktur*
employee, 'white collar' worker	*der/die Arbeitnehmer/in, der/die Angestellte*
employer	*der/die Arbeitgeber/in*
to enclose, include	*beilegen*
enclosure (enc.)	*die Anlage*
to enter into negotiations with	*in Verhandlungen eintreten mit (+ Dat.)*
enterprise, firm, company	*das Unternehmen (−)*
exchange rate	*der Wechselkurs (-e)*
to exhibit (at a fair)	*ausstellen*
to export	*ausführen, exportieren*
ex-stock	*ab Lager*
extension (telephone)	*der Anschluß (¨-sse)*
ex-works	*ab Fabrik*
factory	*die Fabrik (-en)*
to fall/be due	*fällig werden*
f.a.s.	*frei Längsseite des Schiffes*
fax	*der Fernkopierer (−), das Faxgerät (-e), das Telefax-Gerät (-e)*
to fax	*faxen*
finances	*die Finanzen, die Vermögenslage*
financial year	*das Geschäfts-, Haushaltsjahr (-e)*
file	*die Akte (-n)*
filing cabinet	*der Aktenschrank (¨-e)*
firm, company	*die Firma (-en)*

f.o.b. — *frei an Bord*
f.o.r. — *frei Waggon*
in force, valid — *gültig, geltend*
to forecast — *vorhersagen, voraussagen, prognostizieren*
fortnight — *15 Tage*
to forward, despatch — *befördern, senden*
forwarding agent, haulage contractor — *der Spediteur (-e)*
free delivery/domicile — *frei Lager/Haus*
freight — *das Frachtgut (¨er), die Fracht*

gap in the market — *die Marktlücke (-n)*
good value, value-for-money — *preisgünstig, preiswert*
goods, merchandise — *die Waren*
gross — *brutto, Brutto-*
growth — *das Wachstum*

Heavy goods vehicle (HGV) — *der Lastkraftwagen (LKW)*
hotel (bed and breakfast only) — *das Hotel garni*

included — *inklusiv, inbegriffen, eingeschlossen*
information desk — *der Informationsschalter (−)*
insurance policy — *die Versicherungspolice (-n)*
to insure (against) — *versichern gegen (+ Acc.)*

job application — *die Bewerbung um eine Stelle*
to job-hunt — *auf Arbeitssuche sein*

to keep to/respect (a deadline) — *(einen Termin) einhalten*
key industry — *die Schlüsselindustrie (-n)*

to make, manufacture, produce — *herstellen*
to make/fix an appointment — *einen Termin vereinbaren*
to make an offer — *ein Angebot machen/unterbreiten*
to make a payment — *eine Zahlung machen/begleichen*
management — *die Leitung, die Direktion, das Management*
managing director — *der Geschäftsführer (−), der Betriebsleiter (−)*

to market — *vermarkten, absetzen*
market research — *die Marktforschung (-en)*
market share — *der Marktanteil (-e)*
market survey/poll — *die Marktumfrage (-n)*
market trend — *die Markttendenz (-en), der Markttrend (-s)*
marketing — *das Marketing, der Absatz, der Vertrieb*
medium-term — *mittelfristig*

meeting point	*der Treffpunkt*
merger	*die Fusion (-en), die Fusionierung (-en)*
mezzanine	*das Zwischengeschoß (-sse), der Zwischenstock (Zwischenstockwerke)*
to negotiate	*verhandeln mit (+ Dat.)*
net (e.g. price)	*netto, Netto-*
offer	*das Angebot (-e)*
operator (telephone)	*die Vermittlung*
order	*der Auftrag (¨-e)*
order form	*der Bestellschein (-e)*
overall	*allgemein (allg.)*
packaging	*die Verpackung*
to participate, take part in	*teilnehmen an (+Dat.)*
partly	*zum Teil (z.T.)*
passport	*der Reisepaß, Paß (¨-sse)*
passport-control	*die Paßkontrolle (-n)*
per cent	*das Prozent/von Hundert (v.H.)*
photocopier	*der Photokopierer (−)*
to place an order	*einen Auftrag erteilen/vergeben, eine Bestellung aufgeben*
plant, operation, works	*der Betrieb (-e)*
to postpone	*verschieben*
to present	*vorstellen, präsentieren*
price differential	*die Preisdifferenz (-en)*
price fall	*die Preissenkung (-en)*
price freeze	*der Preisstopp*
price rise	*die Preissteigerung (-en), die Preiserhöhung (-en)*
private car	*der Personenkraftwagen (PKW)*
to process (an order)	*(einen Auftrag) bearbeiten*
to produce	*erzeugen, produzieren*
product	*das Produkt (-e)*
profit	*der Profit, der Gewinn*
profitable, lucrative	*rentabel*
promote	*fördern, werben für, bewerben*
promotion	*die Verkaufsförderung, die Werbung*
PTO	*bitte wenden (b.w.)*
purchasing	*der Einkauf*
to put out to tender	*(einen Auftrag) ausschreiben*
range (of products)	*die Auswahl, das Sortiment (-e)*
raw material	*der Rohstoff (-e)*
receipt	*die Quittung (-en)*
representative	*der Vertreter (−), der Repräsentant (-en)*
to reserve	*reservieren, vorbestellen*

retail trade	*der Einzelhandel*
retailer	*der Einzelhändler*
sample	*das Muster (–)*
sales	*der Verkauf, der Absatz, der Vertrieb*
sales manager	*der Verkaufs-, Vertriebsleiter (–)*
salesman	*der Verkäufer (–)*
service	*die Bedienung, die Dienstleistung (-en), der Kundendienst*
share	*die Aktie (-n), der Anteil (-n)*
shareholder	*der Aktionär (-e), der Anteilseigner (–)*
shipment, cargo, load	*die Ladung (-en)*
short-term	*kurzfristig*
showroom	*der Ausstellungsraum (¨-e)*
skilled worker	*der Facharbeiter, der gelernte Arbeiter (–)*
special . . .	*Sonder-*
staff	*das Personal, die Belegschaft (-en)*
stand (at an exhibition)	*der Stand, der Ausstellungsstand (¨-e)*
standardisation	*die Standardisierung, die Normierung*
STD code	*die Vorwahlnummer (-n)*
stock	*der Warenbestand, der Vorrat, das Lager*
to stock	*lagern, auf Lager halten*
Stock Exchange	*die Börse (-n)*
stocktaking	*die Bestandsaufnahme*
supplier	*der Lieferant (-en)*
to supply	*liefern*
to supply someone with	*jemanden beliefern mit (+Dat.)*
supply and demand	*Angebot und Nachfrage*
surplus	*der Überschuß (¨-sse)*
takeover	*die Übernahme (-n)*
target, objective	*das Ziel (-e)*
tariff (customs)	*der Zolltarif (-e), der Zoll (¨-e), die Gebühr (-en)*
tax	*die Steuer (-n)*
tax-free	*steuerfrei*
telex	*das Telex (-e), das Fernschreiben/FS (–)*
telex machine	*der Fernschreiber (–)*
to tender for	*sich an einer Ausschreibung beteiligen*
terms of payment	*die Zahlungsbedingungen*
('plane) ticket	*der Flugschein (-e), das Ticket (-s)*
tip (money)	*das Trinkgeld (-er)*
trade fair	*die Messe, die Handelsmesse (-n)*

trade visitor	*der Fachbesucher (–)*
transport	*der Transport, der Versand*
to undercut	*unterbieten*
to be unemployed	*arbeitslos sein*
unskilled worker	*der ungelernte Arbeiter*
V.A.T.	*die MWST, die Mehrwertsteuer*
warehouse	*das Lager (–)*
wholesale trade	*die Großhandel*
wholesaler	*der Großhändler (–)*
word processing	*die Textverarbeitung*
workforce	*die Arbeiter, die Arbeiterschaft*
works committee, union steward	*der Betriebsrat (¨e)*

Redewendungen

see above	*siehe oben (s.o.)*
per annum	*pro annum (p.a.)*
for the attention of	*zu Händen (z.H.)*
to be busy/otherwise engaged	*beschäftigt sein*
can you please wake me at 6 o'clock?	*können Sie mich bitte um 6 Uhr wecken?*
can you repeat that, please?	*können Sie das bitte wiederholen?*
can you spell that, please?	*können Sie das bitte buchstabieren?*
contract won, deal clinched	*Vertrag in der Tasche*
to do business with	*Geschäfte machen mit, handeln mit (+Dat.)*
end of the month (econ.)	*der Ultimo*
German Industrial Standards	*Deutsche Industrie Normen (DIN)*
(German) Mark exchange rate	*der D-Mark-Kurs*
to hold a conference/meeting	*tagen*
to hand in (one's) notice or to dismiss, 'fire'	*kündigen*
hold the line, please	*bleiben Sie bitte am Apparat*
hold on a moment, please	*Moment/Augenblick, bitte*
i.e.	*d.h. (das heißt)*
I'm sorry to keep you waiting	*(es) tut mit leid, Sie warten zu lassen*
in/out of stock	*auf Lager haben, vorrätig/nicht (mehr) vorrätig*
including, inter alia	*unter anderem (u.a.)*
to make out the bill	*die Rechnung fertigmachen*
to miss the 'plane (flight)	*die Maschine (den Flug) verpassen*
by order (of)	*im Auftrag (von) (i.A.)*

at present, for the time being	*zur Zeit (z.Z.)*
by proxy	*in Vertretung (i.V.)*
to put out to tender	*(einen Auftrag) ausschreiben*
I'll put you through to . . .	*ich verbinde Sie mit . . .*
to settle/pay the bill	*die Rechnung bezahlen/begleichen*
square metre	*der Quadratmeter (qm)*
to take out (an) insurance	*eine Versicherung abschließen*
trade only	*nur für den Fachhandel*
under separate cover	*mit getrennter Post, getrennt*
'Yellow Pages'	*'Gelbe Seiten'*